D0525811

EN PIÈCES DÉTACHÉES

Photographie de la couverture : Les Paparazzi, 1992

*Leméac Éditeur remercie le ministère du Patrimoine canadien, le Conseil des arts
du Canada, la Société de développement des entreprises culturelles du Québec
(SODEC) et le Programme de crédit d'impôt pour l'édition de livres du Québec
(Gestion SODEC) du soutien accordé à son programme de publication.*

Imprimé au Canada

MICHEL TREMBLAY

EN PIÈCES
DÉTACHÉES

cinquième version

LEMÉAC

LES PIÈCES D'UN PUZZLE

Cette nouvelle version d'*En pièces détachées* est la cinquième depuis 1966.

Cette pièce est la seule que je retouche périodiquement, selon les besoins des productions professionnelles, comme un puzzle que j'aime défaire et refaire à volonté. Albertine, Thérèse et Marcel sont trois de mes personnages fétiches et j'aimerai toujours les décrire ; j'ai même parfois l'impression que je n'en aurai jamais fini avec eux, qu'ils m'obligeront toujours à les suivre dans leur longue chute en essayant de les comprendre...

La première version, créée au Patriote à l'automne 1966, s'intitulait *Cinq* et ne comprenait que deux des scènes que contient ce livre, le trio des serveuses et le quatuor de la famille avant l'arrivée de Marcel ; la deuxième fut conçue pour la production du théâtre de Quat'sous en février 1969 (mise en scène de Brassard, avec Hélène Loiselle, Luce Guilbault, Christine Olivier, Jean Archambault, Claude Gai) ; la troisième pour la production que dirigea Paul Blouin à la télévision en 1970 ; la quatrième pour le Saydie Bronfman en 1979, dans la *troisième* mise en scène de Brassard et celle que contient ce livre pour le théâtre du Nouveau-Monde, dirigée par René Richard Cyr, en avril 1994.

Et qui sait, je la retoucherai peut-être un jour pour les besoins d'une autre production...

Michel Tremblay

Distribution (TNM 1994)

PERSONNAGES	INTERPRÈTES
THÉRÈSE	Sylvie Drapeau
ALBERTINE	Hélène Loiselle
MARCEL	José Malette
JOANNE	Marie-Josée Poirier
GÉRARD	Luc Proulx
PIERRETTE	Marie-France Lambert
MADO	Guylaine Tremblay
LISE	Marie-France Marcotte
Mme BÉLANGER	Janine Sutto
Mme L'HEUREUX	Frédérique Collin
Mme BEAULIEU	Marie-Denyse Daudelin
Mme MÉNARD	Pascale Desrochers
Mme TREMBLAY	Monique Gosselin
Mme SOUCY	Danièle Lorain
Mme BERNIER	Suzanne Marier
Mme MONETTE	Christiane Proulx
Mme GINGRAS	Dominique Quesnel
Mise en scène	René Richard Cyr
Ass. m.e.s. et régie	Lou Arteau
Décor	Daniel Castonguay
Costumes	François St-Aubin
Ass. aux costumes	Luc DeGuise
Éclairages	Alain Lortie
Musique	Michel Smith

9

« En pièces détachées» a été présentée à la télévision de Radio-Canada dans le cadre des «Beaux dimanches », le 6 mars 1971 et reprise le 23 juillet 1972.

Distribution (Radio-Canada 1971)

PERSONNAGES	INTERPRÈTES
THÉRÈSE	Luce Guilbeault
ROBERTINE	Hélène Loiselle
MARCEL	Claude Gai
JOANNE	Christine Olivier
GÉRARD	Roger Garand
LUCILLE	Monique Miller
MADO	Sophie Clément
LISE	Micheline Pomranski
TOOTH-PICK	Jean Archambault
MAÎTRE DE CÉRÉMONIE	Jacques Bilodeau
LES AURORES SISTERS:	Odette Gagnon
	Nicole LeBlanc
	Monique Rioux
PAUL	Ernest Guimond
MAURICE	Jean Duceppe
LAVEUR DE VAISSELLE	Normand Morin
LES FEMMES	Monique Joly
	Micheline Gérin
	Colette Devlin
	Suzanne Langlois
	Germaine Giroux
	Rita Lafontaine
	Sylvie Heppel
	Yolande Roy
	Colette Courtois
Réalisation	Paul Blouin
Assistante	Suzanne L. Randall
Costumes	Claudette Picard
Décors	Gabriel Perreault
Maquillages	Jacques Lafleur

PREMIÈRE PARTIE

MME TREMBLAY, MME BÉLANGER, MME MÉNARD, MME BEAULIEU, MME MONETTE, MME SOUCY, MME BERNIER, MME L'HEUREUX, MME GINGRAS

Une cour intérieure, quelque part, dans l'est de Montréal. C'est l'été. Il fait très chaud. Les femmes prennent l'air, après souper, quelques-unes installées à leurs fenêtres avec un oreiller ou un coussin, une bouteille de liqueur, des chips et un appareil de radio, d'autres (celles qui en ont) sont sorties s'asseoir sur leurs balcons ou dans l'escalier de sauvetage qui «passe» devant leurs fenêtres.

Long silence avant la première réplique (le temps de bien sentir leur «effouerrement») puis, dès que madame Tremblay a parlé, la basse-cour se réveille...

Les répliques de cette première scène peuvent se mêler, s'entrecouper, se chevaucher...

MME TREMBLAY. Michel... Michel, rentre ton bicycle, y commence à faire noir!

MME BÉLANGER. Mon coke est déjà vide!

MME TREMBLAY. Michel!

MME BÉLANGER. Aurèle, me passerais-tu un autre coke?

MME TREMBLAY. Michel, sauve-toi pas, là!

MME MÉNARD. André, veux-tu monter sur la galerie, mon ange?

MME BÉLANGER. Aurèle, es-tu sourd?

MME MÉNARD. Viens t'en, là, mon trésor; j't'ai déjà dit de ne pas jouer avec Monique Beaulieu...

MME BEAULIEU. Ben quoi, que c'est qu'a l'a, Monique? A l'a pas la lèpre!

MME TREMBLAY. Michel! M'as t'étendre ma main dans face, si tu me réponds pas.

MME MÉNARD. J'aime pas ça que les p'tits gars pis les p'tites filles restent tu-seuls en-dessous des galeries, le soir, c'est toute!

MME BÉLANGER. Pis fais pas exiprès pour m'en apporter un chaud! J'le veux frette!

MME BEAULIEU. Quel mal que vous voulez qu'y fassent... Sont ben que trop jeunes!

MME TREMBLAY. Michel!

MME MONETTE. Ah! arrêtez de crier de même, bonyeu! Y' est parti, là, vot' Michel! Y s'est sauvé avec son bicycle! Y vous entendra pas d'la rue Papineau!

MME MÉNARD. Y'a pus d'enfants, Mme Beaulieu, prenez ma parole! On est mieux des surveiller!

MME BÉLANGER. J'le savais, y' est chaud!

MME SOUCY. Michel! Michel! J'viens d'le voir passer, Mme Tremblay!

MME TREMBLAY et MME SOUCY. Michel! Michel!

MME MONETTE. C'est ça, mettez-vous à deux, astheur! La police va v'nir, certain!

MME BÉLANGER, à son mari. Tu l'as pas encore installée, la corde à linge! Tout le monde a lavé à part de moé! Mais va ben falloir que je finisse par le faire, mon lavage! Ça me fait rien, moé, mais j'vas être encore obligée d'étendre dans' maison!

12

MME SOUCY. J'vas le guetter. Si j'le vois, j'vas vous le dire, Mme Tremblay!

MME MONETTE. Maudite porte-panier! Laissez-le donc jouer, c't'enfant-là! Y'est toujours en-dessous des jupes de sa mère! Vous savez c'que vous allez finir par en faire de vot' garçon, Mme Tremblay?

MME TREMBLAY. C'est toujours ben mieux que devenir un bum comme vot' Richard, Mme Monette!

MME BÉLANGER. Pis tu vas encore te plaindre que c'est humide dans' maison!

MME BERNIER, *à Mme Beaulieu*. Pis en plus y m'ont dit que j'faisais d'l'anémie.

MME BEAULIEU. J'en ai déjà faite, moi aussi. C'est pas drôle, mais là, ça va mieux.

MME MONETTE. Aie, Mme Soucy, le Michel de Mme Tremblay vient de passer... vous avez pas crié?

MME SOUCY. Michel! Michel!

MME TREMBLAY. L'avez-vous vu, le p'tit snoro? Michel, mon p'tit verrat, m'as te casser une jambe, tu pourras pus pédaler!

MME BÉLANGER. Arrête donc de critiquer, Armand. Si j'veux boire six cokes dans ma soirée, c'est de mes affaires!

MME BEAULIEU. C'est du fer, qui vous faut, Mme Bernier. Prenez des vitamines de fer!

MME BERNIER. Des vitamines! Des vitamines! Ça coûte cher, des vitamines!

MME BEAULIEU. Si vous voulez, j'pense qu'y m'en reste une bouteille...

MME SOUCY. Ah! faites attention, Mme Bernier! Les vitamines, ça change pour chaque personne! Les vitamines des autres, c'est jamais ben bon...

MME BEAULIEU. Voyons donc, moé, c'est ma belle-sœur qui m'avait donné ceusse-là...

MME SOUCY. Vous avez pas l'air ben ben en santé non plus...

MME BEAULIEU. Monique! Monique! M'as dire comme vous... Que c'est qu'y font, donc...

MME SOUCY. Michel!

MME TREMBLAY. Michel! M'a t'sacrer un coup de bolo!

MME MÉNARD. André!

MME BEAULIEU. Monique! *(À Mme Bernier.)* Ça fait longtemps que vous le savez pour... l'autre affaire?

MME BERNIER. Non, j'l'ai su avant-hier... J'vous dis que ça va faire tout un pétard dans' maison! J'en ai déjà trois...

MME SOUCY. Hon... Ben oui... Pis vous êtes ben jeune... Mais vous pourrez pas rester dans vos quatre z'appartements... Vous allez être obligés de déménager...

MME MÉNARD. André!

MME BEAULIEU. Monique!

MME BERNIER. Déménager? Mon mari a d'la misère à se traîner d'un fauteuil à l'autre. Maudit sans-cœur!

MME MÉNARD. J'pense qu'on va être obligées de descendre, ça pas de bon sens...

MME MONETTE. Ben non, y sont pus en-dessous d'la galerie, j'viens d'les voir sortir d'la cour... Sont-tu fatiquantes!

MME BEAULIEU. Y commence déjà à enlever les filles, vot' André, Mme Ménard? C'est vrai qu'avec le père qu'y'a...

MMES TREMBLAY, SOUCY et MONETTE. Michel! Michel!

MME TREMBLAY, *à Mme Monette.* Vous criez avec nous autres, astheur?

MME MONETTE. La police va venir plus vite!

MME MÉNARD. Que c'est qu'y'a, son père, qui vous intéresse tant, Mme Beaulieu?

MME BEAULIEU. Ah! moé, rien, rien pantoute... mais y'en a d'autres, par exemple...

MME MÉNARD. Qui ça? Qui ça?

MME BERNIER, *qui les a entendues.* Ben moé, j'pense que chus t'aussi ben de rentrer...

14

MME BEAULIEU, *sourire en coin.* J'parlais pas plus de vous que d'une autre, Mme Bernier...

MME SOUCY. Michel! Michel! J'viens d'le voir passer, Mme Tremblay, j'viens d'le voir passer...

MME TREMBLAY. Ah! pis laissez-le donc faire... Ça sert à rien de s'égosiller pour rien... J'y souhaite juste d'avoir un accident!

TOUTES LES FEMMES. Franchement, madame Tremblay, vous êtes pas mal sans-cœur!

On voit soudain Albertine refermer lentement son store vénitien.

Toutes les têtes se tournent automatiquement vers la fenêtre d'Albertine.

On aperçoit Mme L'Heureux et Mme Gingras pour la première fois. Elles sont toutes deux accoudées à des fenêtres voisines. On dirait qu'elles viennent «d'apparaître». Elles ne se parlent et ne se regardent jamais.

MME L'HEUREUX. A vient de fermer son blind... Joseph, la folle d'en face a encore fermé son blind vénitien...

MME GINGRAS. Y doivent préparer une bataille, c'est comme rien...

Toutes les femmes s'installent pour mieux voir.

Les visages sont empreints d'une curiosité malsaine.

TOUTES LES FEMMES, *très lentement.* Y doivent préparer une bataille, c'est comme rien...

Mme L'Heureux se penche un peu.

MME L'HEUREUX. Ah! ben, est bonne celle-là! Joseph, tu sais pas quoi? Gérard vient de rouvrir le blind! Cré-lé, cré-lé pas, Gérard vient de rouvrir le blind!

MME GINGRAS. C'est ben la première fois qu'y tient tête à sa belle-mère... Eh bien, y y reste encore un fond de force, faut croire! J'pensais qu'y'était d'venu mou comme une bolée de Jell'o!

Les femmes rient.

MME L'HEUREUX. Ah! ben, lumières d'arbre de Noël...

TOUTES LES FEMMES. A vient de le refermer!

MME L'HEUREUX. A t'y a fermé le blind au nez...

MME GINGRAS. Si y font ça toute la soirée, le blind va finir par leur tomber sur la tête, par exemple.

Un temps.

Les femmes, le cou tendu, attendent la suite des événements.

MME L'HEUREUX. C'est ben c'que j'pensais... y va rester fermé, astheur...

TOUTES LES FEMMES. Y doivent préparer une bataille, c'est comme rien...

MME GINGRAS. Gérard vient de dépenser ses dernières forces. Y va toute endurer sans dire un mot, comme d'habitude...

MME MONETTE. Sa femme pis sa belle-mère vont y crier dans les oreilles toute la soirée pis y dira rien. Maudit fou!

MME TREMBLAY. Ça fait longtemps que j'serais parti, à sa place, moé! C'est vrai qu'y peut pas... Y sort même pus d'la maison... Avant son accident...

MME BEAULIEU. R'marquez que c't'accident-là, personne l'a vu, mais entéka...

MME L'HEUREUX. Avant son accident, y se lamentait sans arrêter. Y se levait en se lamentant, pis y se couchait en se lamentant... Astheur, rien. Pas un mot. Y boit sa bière... Y regarde la télévision... c'est toute... Y s'est résigné, j'suppose...

MME GINGRAS. Pauvre Gérard.

MME L'HEUREUX. Ah! Pis y'est pas si à plaindre que ça! Y'a personne dans c'te maudite maison-là qui est à plaindre.

MMES L'HEUREUX et GINGRAS. Y'aiment ça, le malheur!

MME GINGRAS. Y vivent dedans jusqu'au cou, pis y vont mourir dedans! Noyés!

MME L'HEUREUX. Joseph... Joseph, ça fait combien de temps que Gérard a eu son accident, donc? C'est ça, réponds-moé pas! Reste effouerré devant la télévision puis occupe-toé pas de moé! T'es t'assez plate, Joseph, t'es t'assez plate que chus t'obligée de passer ma vie à regarder chez les voisins pour voir si y se passerait pas quequ'chose!

16

MME MÉNARD. Un bon jour, y s'est mis à boiter... Y'a dit qu'y'était tombé en bas d'une échelle... Y s'est effouerré dans son fauteuil pis y'a pus grouillé.

MME TREMBLAY. C'était pourtant un bel homme...

MME L'HEUREUX. Quand y'a commencé à fréquenter Thérèse...

MME GINGRAS, *les yeux au ciel.* «Fréquenter» est un bien grand mot...

MME L'HEUREUX. Aie, ça fait quasiment vingt ans, de ça... Quand y'a commencé à fréquenter Thérèse, toutes les filles de la rue étaient folles de lui... On sortait toutes sur nos balcons, pour les voir sortir, le soir...

MME SOUCY. Thérèse aussi, est-tait belle! Mais c'était tout un numéro, par exemple!

MME MONETTE. Elle, a les envoyait revoler, ses parents! A' toujours toute faite c'qu'a voulait...

MME BEAULIEU. A' toujours toute faite à sa tête...

MMES MONETTE et MÉNARD. Maudite tête folle!

MME L'HEUREUX. Quand on a appris qu'a se mariait, pis avec le beau Gérard, à part de ça, on s'est assis dessus, les yeux grands ouverts puis les oreilles molles!

MME MONETTE. Surtout que ça s'était décidé pas mal vite!

Les femmes se mettent à rire d'une façon bizarre. Elles riront de plus en plus fort jusqu'au cri de Thérèse: «Chus peut-être pas...»

MME L'HEUREUX. Le matin du mariage, tout le quartier était en face de chez eux pour la voir sortir.

MME GINGRAS. Après toute, c'était la plus belle fille du boutte...

MME L'HEUREUX. Quand est sortie, tout le monde a compris tu-suite.

MME BEAULIEU. La mariée était pas en blanc...

MME MÉNARD. Ah! non, est-tait loin d'être en blanc!

MME BÉLANGER. A l'avait une robe de velours...

TOUTES LES FEMMES. Bleu nuit!

MME GINGRAS. On a vu tu-suite c'que ça voulait dire... Est descendue au milieu des rires pis des moqueries... Juste avant de monter dans le char loué, a s'est retourné vers nous autres, pis a nous a crié :

THÉRÈSE. Chus peut-être pas habillée en blanc, mais je l'ai, mon gars...

Long silence.

Les femmes semblent fascinées.

MME L'HEUREUX. Y me semble d'la voir, avec ses cheveux rouges... A s'était faite teindre la veille de son mariage, mais la coiffeuse avait manqué son permanent pis ses cheveux étaient venus rouge carotte! Ça faisait ben drôle, une mariée en velours bleu avec les cheveux rouges!

MME TREMBLAY. A l'avait pas l'air d'un ange, a l'avait l'air d'un démon!

MME MONETTE. Pis on s'est pas gêné pour y dire, nous autres, les femmes!

LES FEMMES, *en variant.* Maudite démonne!

On revoit Thérèse dans sa robe de mariée, un air tragique sur le visage, comme si elle avait cent ans.

MMES L'HEUREUX et GINGRAS. A l'a peut-être eu, son gars, mais a l'a payé cher!

TOUTES LES FEMMES. Oui, a l'a payé cher!

MME MÉNARD. A n'a mangé, à cause de lui, des boîtes de p'tits pois, pis des boîtes de soupes Campbell! Pis astheur...

MME TREMBLAY. Astheur, a travaille chez Nick, sur la rue Papineau!

MME MONETTE. A s'est faite mettre dehors du club ousqu'à travaillait parce qu'a se paquetait trop souvent, pis est barrée sur leur liste de waitress...

MME L'HEUREUX. A va finir dans un trou, pis c'est toute c'qu'a mérite!

MME GINGRAS. A va finir dans un trou, pis c'est toute c'qu'a mérite!

TOUTES LES FEMMES. A va finir dans un trou, pis c'est toute c'qu'a mérite!

DEUXIÈME PARTIE

THÉRÈSE, LISE, MADO

Décor : le restaurant «Nick's»

THÉRÈSE. Un double sub-marine all dressed, un grill cheese, deux cold slaw, deux cafés!

LISE. Un spécial du jour, pas de p'tits pois, pis... euh... un coke... non, un seven-up... non, c'est ça, un coke, s'cuse-moi!

THÉRÈSE. Une pizza all-dressed, medium, pas de fromage, une sandwich au pastrami avec des pickles, une goulash, une binne avec une saucisse, quatre cafés...

LISE. Avez-vous du blé d'Inde en boîte?

THÉRÈSE. C'est pas le temps d'leur demander si y'ont du blé d'Inde en boîte! Sont pas assez occupés de même, tu penses?

LISE. Ben une sandwich au fromage toastée sans blé d'Inde en boîte, d'abord.

THÉRÈSE. Un Fish and Chips, un pâté chinois, une western omelette, un chicken fried rice, six egg-rolls, deux ginger ale, un café... un thé.

Décor chez Nick's.

Enchaînement sur les trois employées de chez Nick's, pendant l'heure creuse de l'après-midi. Elles sont toutes trois installées à la même banquette. Thérèse et Lise (les serveuses) plient des serviettes de papier pendant que Mado (caissière et amie du boss de son métier) se « fait un manucure ». Un beau vernis à ongles brun sang coagulé serait sublime (c'est d'ailleurs la dernière mode, je pense que ça s'appelle « copper »).

THÉRÈSE. Aie chose, j'te dis que j'y ai répondu rien que sur une pinotte! Toé, me faire du trouble, que j'y ai dit, toé me faire du trouble? Tu m'as pas vue, l'taon? J'en ai knocké des ben plus gros pis des ben plus capables que toi!

MADO. Que t'as donc ben faite!

THÉRÈSE, *à Lise.* Y'est v'nu rouge comme une tomate, tu comprends ben! Mado, elle, a se tordait comme une bonne, à 'fontaine! A riait comme une maudite folle!

MADO. J'comprends donc! T'étais pissante, Thérèse! Ça valait cent piasses de te voir faire!

LISE. J'sais pas comment tu fais pour leur parler de même, toé, Thérèse! Un vrai front de beu!

THÉRÈSE. Aie, 'coute, j'ai assez travaillé sur la rue Saint-Laurent, y'a pus rien pour me faire peur! J'en ai assez vu des gars souls s'traîner à terre pis baver partout, j'en ai assez jeté dehors des ivrognes mal embouchés, c'est pas des p'tits morveux d'la rue Papineau qui vont v'nir me faire peur!

MADO. Pis à part de ça, t'étais dans ton droit! T'avais pas été impolie! J'ai tout vu, moé. T'étais ben correcte, t'as ben faite!

THÉRÈSE. Ben, c'est ça, l'affaire! J'dis pas si j'arais été barbeuse ou quequ'chose, mais non! J'avais pas compris c'qui m'avait demandé, c'est toute! Que c'est que tu veux, ça peut arriver que tu comprends pas c'que le client te demande, surtout quand y'a ben du monde... Pis à part de ça, lui, là, c'tait un p'tit Français, t'sais le p'tit Français cheap, là, qu'y'a pas une cenne en avant de lui, mais toute la France en arrière! Y parlait pas, y baragouinait! On n'est pas à Paris, icitte. Moé, que c'est que tu veux, j'étais juste la waitress, ça fait que j'y ai demandé ben poliment de répéter. J'y ai dit dans mon meilleur français : *«Pourreriez-vous répéter, s'il vous plaît, j'ai pas compris?»* Y prend un air pincé, ma p'tite fille, pis y me dit: *«Vous êtes sourde, ou quoi?»* T'sais comment c'qu'y parle... *«J'vous ai demandé un thé, mademoiselle, un thé! T-H-É, thé!»* Ah! ben là, par exemple, me v'là en beau crisse! *«Aie, tit'boute,* que j'y ai dit, *tu viendras pas me montrer comment épeler thé icitte, okay? R'garde-moé, r-garde-moi ben, là... Comme chus là, là, mon p'tit gars, j'ai été à l'école aussi longtemps, pis peut-être plus longtemps que toé en France, ça fait que tu viendras pas me montrer comment épeler thé en pleine face!»*

LISE. J'sais pas comment tu fais, Thérèse! Moé, chus pas capable d'leur répondre comme ça! C'est ben simple j'viens toute mal quand y me disent des affaires de même!

THÉRÈSE. T'es pas assez bête avec les clients, tu te laisses trop faire!

LISE. Oui, mais 'coute donc, faut quand même pas exagérer! La rue Saint-Laurent pis icitte, c'est deux! On peut pas leu'parler icitte comme tu leu' parlais là-bas!

THÉRÈSE. Non, non, j'comprends c'que tu veux dire, mais 'coute un peu, Lise... Quand t'es t'en plein rush, que ça fait deux heures que tu te garroches d'un bord pis de l'aut', pis qu't'as vingt-cinq clients qui t'attendent, t'es rendue au boute, tu le sais comme moé! Bonyeu, t'as pas le goût de niaiser avec des p'tits morveux qui mangent une pétate frite, qui brettent une heure à ta table, pis qui s'en vont sans te laisser un verrat de tip!

LISE. Oui, mais y faut ben les endurer pareil, ces gars-là! C'est des clients, eux autres aussi!

THÉRÈSE. Pas dans un rush, jamais d'la vie! Demande à n'importe quelle waitress! Pas dans un rush! Voyons donc, ç'a pas de saint grand bon sens! Quand y viennent dans le milieu de l'après-midi, ça me fait rien, j'les endure, mais qu'y me badrent pas pendant les heures de repas, par exemple! Tu devrais pas les endurer, tu devrais pas! Tu te lamentes après que tu fais moins d'argent que moé! J'cré ben! T'es ben que trop fine avec le monde! Demande à Mado... Quand t'étais sur le plancher, toé, Mado, tu devais pas te laisser faire comme elle, hein?

MADO. Moé? J'étais la terreur d'la rue Papineau! *(Lise rit.)* C'est vrai! Tu penses que Thérèse est bête, Lise? T'aurais dû me voir à l'œuvre! Okay qu'y'en avait pas un, pas un seul, qui essayait de faire son smatte avec moé! J'ai déjà vu des jours, là, ma p'tite fille, j'ai déjà vu des jours, prendre le plancher à moé tu-seule parce que l'autre était malade pis pas faire une seule erreur. C'est-tu assez fort pour toé? Mais j'me laissais pas piler sur les pieds, par exemple! Les clients, y passaient par là... C'est un smoked meat que tu veux, bébé? Ben change pas d'idée, maman a pas le temps... C'est de même qu'y faut les traiter! Sans ça, la première chose que tu sais, y t'embarquent par-dessus la tête, tu te comprends pus, pis tu vires folle!

LISE. Oui, mais vous autres, vous avez de l'expérience... Moé, c'est ma première job...

MADO. Ouan, tant qu'à ça... Ça va rentrer avec le temps...

THÉRÈSE. Une instant, là, chus pas d'accord! Ça, tu l'as ou tu l'as pas! Moé, j'ai commencé au Kresge à côté de Eaton, j'savais pas un maudit mot d'anglais, pis j'me sus débrouillée... Y me commandaient des sandwiches au fromage en anglais, pis j'leur apportais des sandwiches au jambon en français! Pis j'criais assez quand y critiquaient qu'y finissaient par manger leurs sandwiches au jambon... pis en français, à part de ça!

MADO, *que Thérèse commence à énerver pas mal.* 'Coute, moé, quand j'ai commencé, j'étais épaisse comme Lise, pis j'ai faite mon chemin pareil!

LISE. Chus pas si épaisse que ça! Mais tu peux pas faire deux pas sans te faire poigner les cuisses...

THÉRÈSE. Veux-tu, m'as te dire une chose? Moé, là, j'en connais pas des waitress qui sont arrivées sans se faire poigner les cuisses un peu beaucoup...

MADO, *arrête son manucure.* Ah ben là, arrête-moé ça tu-suite! Là, tu charries! C'est certainement pas au Kresge que tu pouvais te faire poigner les cuisses! Les filles sont prisonnières en arrière de leurs comptoirs!

THÉRÈSE, *en riant.* C'est pas là que j'ai faite mon avenir, non plus...

MADO. Ah! Si tu parles d'la rue Saint-Laurent, là, c'est pas la même chose! Entre un cabaret d'la Main, pis un restaurant d'la rue Papineau, faut faire la différence! Moi, j'ai jamais travailler sur la Main, pis chus rendue... euh... *(Elle cherche ses mots.)*

THÉRÈSE. Laisse faire, on le sait ousque t'es rendue, bebé. C'est pas pour rien que Nick t'as mis au cash...

LISE. Hein? C'tu vrai? J'savais pas ça, moé! C'tu vrai, Mado?

MADO. Au fond, moé j'te trouve cute, Lise. Thérèse, ça fait moins longtemps que toé qu'a travaille icitte, pis a l'a déjà tout vu ça, elle! T'es t'innocente, rare!

LISE. Ah... c'est drôle... J'arais jamais pensé...

MADO. Parce que Nick te court après? Ça me dérange pas, ça, Lise, ça me dérange pas pantoute *(Elle regarde Lise dans les yeux.)* Tant que tu vas y résister...

Thérèse se rapproche de Lise.

THÉRÈSE. Veux-tu que j'te dise une chose, Lise? T'es pas faite pour être waitress! J'en parlais justement avec Mado, l'aut'jour, pas vrai, Mado? J'y disais : « *Lise, a devrait pas rester icitte. C'est pas sa place... Est trop différente de nous autres... Ça marche pas pantoute, son affaire!* » Pourquoi que t'esseyerais pas d'aller t'engager ailleurs, comme vendeuse dans un magasin, par exemple? T'aimerais pas ça? Moé, chus sûre que t'aimerais ça ben plus qu'icitte! Cent fois!

Mado, visiblement écœurée par le petit manège de Thérèse, se lève.

MADO. J'vas aller voir si y'ont refaite du spécial du jour... Y'en restait pus, à midi...

THÉRÈSE, *quand Mado est partie.* D'abord, Nick a l'œil sus toé, pis toé t'as pas l'air d'avoir envie de sortir avec lui... T'es fiancée, c'est de tes affaires... De toute façon, Lise, si tu y refuses c'qu'y t'demande, tu garderais pas ta job icitte ben ben longtemps... Pis si tu y donnes c'qu'y veux, tu vas avoir Mado contre toé... Pis tu vas encore avoir toute la misère du monde à t'habituer dans un autre restaurant! Tu t'en rappelles, quand t'es t'arrivée icitte, si t'as eu d'la misère à t'habituer? Moé, j'étais pas là, mais Mado m'a toute conté... Y paraît que c'était pas drôle à voir...

Lise éclate en sanglots.

THÉRÈSE. Ben non, ben non, 'coute braille pas, là. C'que j'dis, c'est pour toé. C'est pas pour moé! Que c'est que tu veux que ça me fasse que tu travailles avec moé... Toé, ou ben donc une autre... non, c'est pour toé... à part de ça, moé, chus t'icitte rien qu'en attendant quequ'chose de mieux dans l'ouest... C'est pas ta job que j'veux... Non, 'te parle en amie... Pis tu devrais m'écouter... J'le sais c'qu'y te faudrait... Une bonne p'tite job tranquille comme vendeuse de bas de nylon ou ben dans les cosmétiques...

LISE. Tant qu'à ça, t'as peut-être raison... Mais dans les magasins, on fait ben moins d'argent...

THÉRÈSE. Ben, t'es fiancée, tu vas finir par te marier... C'est ben ça, hein? Tu nous as ben dit que t'étais fiancée?

LISE. Oui... Ben, c't'à-dire... Chus partie de chez nous y'a six mois pour aller rester avec André...

THÉRÈSE. Ah! bon... J'vois c'que c'est... Que c'est qu'y fait, ton gars?

LISE. Ben là... y... y se cherche une job... Ça fait un bout de temps, qu'y a pas travaillé...

THÉRÈSE. Ça veut dire que... c'est toé qui gagnes l'argent?

Lise fait signe que oui.

THÉRÈSE. Quel âge y'a, ton gars?

LISE. Vingt-deux...

THÉRÈSE. Y'est beau?

LISE. Ah! oui, y'est ben beau!

THÉRÈSE. Y'a tu travaillé depuis que vous êtes ensemble?

Lise ne répond pas.

Thérèse la regarde quelques instants.

THÉRÈSE, *tout bas.* J'ai connu ça, moi aussi... *(Elle se ressaisit.)* C'est ça que tu devrais faire... Si tu t'en vas travailler dans un magasin qui paye moins cher, y va ben être obligé d'en gagner, d'l'argent! Attention, v'là un client pour toé...

Mado revient.

THÉRÈSE, *à Lise.* Mouche-toé, tiens, prends une napkin... Toé, Mado, r'tourne à ton cash... Vite donc... Si Nick nous voit niaiser pendant qu'y a un client qui attend...

Mado lui lance un dirty look.

MADO. J'sais quoi faire avec Nick, hein, fille?

THÉRÈSE. Veux-tu que j'prenne ta place, aujourd'hui, Lise? T'es pas r'gardable, de même!

LISE, *qui se mouche.* Si tu veux...

THÉRÈSE. Bon, okay, pour aujourd'hui, on va s'échanger nos sections... J'vas prendre les grosses d'en avant... Toé, reste icitte, pis repose-toé. Attention, plie tes napkins, v'là Nick! Aie, Nick, j'prends la place de Lise, aujourd'hui, est pas capable...

Mado la prend par le bras et l'arrête.

MADO. Tes p'tites combines avec Lise, là, j'm'en mêle pas, ça me r'garde pas... J'le sais que c'est sa job que tu veux... Lise, c'est peut-être vrai qu'est pas faite pour être waitress... a va s'en aller... Mais si tu prends sa place, fille, fais attention, hein? Chus pas tombée avec la dernière pluie, pis j'me laisserai pas faire! La caisse pis Nick, c't'a moé! Okay?

Thérèse regarde s'éloigner Mado, bouche bée.

Lise se dirige vers le téléphone, met un dix cents et compose un numéro.

LISE. Allo... Allo, André? C'est moé... J'ai quequ'chose de ben important à te dire...

THÉRÈSE. Un smoked meat lean avec des pickles pis d'la moutarde! Un café deux crèmes!

MADO. Une et trente-sept!

LISE. Ça m'a pris du temps pour me décider, mais tu comprends, j'savais pas quoi faire... J'étais tellement malheureuse...

THÉRÈSE. Deux soupes du jour. Deux clubs. Un pas de mayonnaise, l'autre pas de bacon. D'la moutarde en masse! Deux cokes!

MADO. Trois et cinquante-six!

LISE. Écoute, André, dis-moé pas de bêtises de même!

THÉRÈSE. Un smoked meat fat avec des pickles, une sandwich au jambon salade mayonnaise, un ordre de toasts, un milk-shake au chocolat!

MADO. Deux et vingt-huit!

LISE. J'comprends, André, mais c'est pas ma place! J'vas essayer d'aller m'engager ailleurs comme vendeuse... Chez Greenberg, y'en demandent toujours...

THÉRÈSE. Deux hamburgers platers avec trois sauces pis pas de cole slaw. Une sandwich au fromage plain avec d'la mayonnaise. Un sundea au caramel pas de cerise, un gâteau au chocolat avec d'la crème fouettée. Deux cokes, un seven up!

MADO. Quatre et quart...

LISE. J'le sais que j'vas faire moins d'argent en commençant, mais...

THÉRÈSE. Un hot-dog moutarde ketchup.

MADO. Vingt cents...

LISE. Mais j'vas être moins énarvée, pense à ça... Chus rendue au boute, tu le disais toi-même, l'aut'-jour... J'ai les nerfs à terre!

THÉRÈSE. Un grill cheese, un ordre de toasts, deux cafés.

MADO. Une et trente-six...

LISE. André... André... Raccroche pas!

THÉRÈSE. Un cherry-coke!

MADO. Trente-cinq cents.

LISE. André!

THÉRÈSE. Une tarte au citron, un verre de lait!

MADO. Soixante-quinze cents!

LISE. André!

THÉRÈSE. Deux cokes, un pepsi, deux seven-up...

MADO. Une piasse!

TROISIÈME PARTIE

PIERRETTE, THÉRÈSE

Le bar du Coconut Inn.
Pierrette, la barmaid, est au téléphone (un téléphone dissimulé derrière la caisse).

PIERRETTE. Non, y'est pas r'venu, encore. J'le sais pas, quand. Oui, oui, c'est moé qui a toute faite. Ben... ben... ben, c'tait à toé de t'en occuper, Betty! La prochaine fois, tu f'ras tes commissions toé-même! Ah! pis sacre-moé donc patience! *(Elle raccroche.)* Comme si j'avais rien que ça à faire!

C'est la fin de l'après-midi ou le début de la soirée; le bar est vide.

Pierrette est l'exemple parfait de la waitress de club «arrivée» : elle est enfin passée du «plancher au bar» (par quelles combines, ça ne nous regarde pas), mais sa «supériorité» transpire par tous les pores de sa peau. Elle est très belle mais on sent que sa beauté n'a éclaté que lorsqu'elle est devenue la «barmaid maison» du Coconut Inn. Ses gestes sont toujours calculés, précis, efficaces, mais la présence de Thérèse dans le bar la troublera à un point tel qu'elle aura quelque difficulté à garder son sang froid.

Pierrette est exactement ce qu'aurait voulu devenir Thérèse; cela doit pouvoir se lire dans le regard de cette dernière : tout à la fois envie et admiration; haine et amour.

Pierrette compose un numéro de téléphone.

PIERRETTE. Tooth-Pick est-tu là, c'est Pierrette... Ouan... Ben tu y diras de v'nir me voir le plus vite possible... A c't'heure-citte y doit être a taverne, l'aut'bord d'la rue. ... Tu y diras que j'ai quequ'chose à y donner... Laisse-faire quoi! On t'a pas appris à pas poser de questions, surtout pas au téléphone? Insignifiante!

Thérèse est entrée, est venue s'installer à un stool du bar; elle regarde Pierrette « travailler ».

PIERRETTE. Pis vas-y toé-même, même si ça fait pas partie de ta job... Tu y diras que c'est important, y va comprendre... pis si y comprend pas, dis-y de ma part que j'vas y faire comprendre moé-même, pis tu vas le voir partir en courant... C'est ça, bonne journée toé-si!

Elle raccroche.

THÉRÈSE. On reconnaît pus ses chums?

PIERRETTE, *abasourdie.* Ah! ben... Thérèse. *(Elle reste immobile un tout petit instant.)* Que c'est que tu fais icitte?

THÉRÈSE. C'est comme ça que tu me reçois? Envoye, donne-moé un scotch, pis prends-en un toé aussi, on va mouiller ça...

PIERRETTE. Tu sais que j'bois pas su'a job!

Elle ne bouge pas.

THÉRÈSE. Ben envoye, sers-moé!

Pierrette s'affaire. Elle essuie le comptoir, vérifie les verres, tout pour ne pas servir Thérèse.

PIERRETTE. Thérèse, j't'avais dit de pas remettre les pieds au Coconut! Es-tu folle?

THÉRÈSE. Voyons donc, Pierrette, chus pus dans' gaffe, à c't'heure...

PIERRETTE. T'es pu dans' gaffe, mais t'as ben manqué d'y laisser ta peau, par exemple!

THÉRÈSE. T'exagères, Pierrette...

PIERRETTE. Avec l'argent que tu dois pis le grabuge que t'as faite? Non, j'exagère pas, pis tu sais que chus ben placée pour savoir c'que je dis!

THÉRÈSE. Comme ça, ça te fait pas plaisir de me voir!

PIERRETTE. Ben oui, ça me fait plaisir de te voir, c'est pas ça... J'veux dire, ça me ferait plus plaisir si on était ailleurs qu'icitte!

THÉRÈSE. Arrête donc de te faire des peurs avec rien, pis sers-moé donc mon scotch! Penses-tu que j'te vois pas faire? Essaye pas de gagner du temps avec moé, Pierrette, j'ai pas le goût...

Pierrette la sert, mais très brusquement, comme si elle s'en voulait de se laisser avoir encore une fois.

PIERRETTE. J'me sus-tu déjà faite des peurs avec rien? Hein? Si j'me s'rais faite des peurs avec rien, ma p'tite fille, j's'rais pas rendue oùsque chus là, avec les responsabilités que j'ai, okay? 'Coute, Thérèse, tu sais que chus au courant de toute c'qui se passe sur la Main à cause de Maurice...

THÉRÈSE. Ben oui, ben oui...

PIERRETTE. Ben prends mon conseil... sacre ton camp au plus vite! Y'ont pas encore oublié, Thérèse, comprends donc!

THÉRÈSE, *élevant la voix.* Moé non plus, j'ai pas oublié, imagine-toé donc! Je l'ai pas oublié, le tort qu'y m'ont faite!

PIERRETTE. La différence, bébé, c'est que c'est eux autres qui mènent, c'est pas toé! Veux-tu, Thérèse, tu vas t'en aller chez-vous, là, pis tu me rappellerais, demain, j'ai congé... Tu viendras à 'maison, m'as te faire un beau spéghatti...

THÉRÈSE. C'est aujourd'hui que j'veux te voir, Pierrette!

PIERRETTE. As-tu bu avant de venir icitte, toé, 'cou-donc?

THÉRÈSE. Ben non, ben non...

PIERRETTE. T'as besoin de boire ton scotch vite, Tooth-Pick s'en vient. J'viens d'y faire dire que j'ai quequ'chose à y donner pis y'est trop tard pour le rappeler...

Thérèse regarde automatiquement vers la porte. Elle finit son scotch d'une traite.

THÉRÈSE. Qu'y vienne donc! J'en ai pas peur, de Tooth-Pick! Un autre scotch, ma belle Pierrette d'amour...

PIERRETTE. Quand t'es fine de même, toé... Chus sûre que t'as pris d'autre chose avant de venir... Tu sais c'que le scotch te fait, Thérèse... T'es pus capable d'en prendre, pis depuis longtemps!

THÉRÈSE. Moé, chus pus capable de prendre du scotch? C'est toé, ma meilleure amie, qui me dis ça? *(Très véhémente.)* Chus capable d'en prendre un vingt-six onces sans broncher!

Elle prend la bouteille que Pierrette avait laissée sur le comptoir et se verse une généreuse rasade de scotch.

THÉRÈSE, *détachant bien ses syllabes.* À ta santé, ma belle Pierrette!

PIERRETTE. J'devrais pas m'occuper de toé... J'devrais te laisser te paqueter pis les laisser te ramasser comme la dernière fois.

THÉRÈSE. La police?

PIERRETTE. Non, pas la police... La meilleure chose qui pourrait t'arriver, ces temps-citte, quand tu paquetes, Thérèse, c'est que la police te ramasse. Sont pas dangereux, eux-autres...

Elle prend la main de Thérèse.

T'es mon amie depuis toujours, Thérèse... T'es quasiment ma sœur! On a été élevées dans la même ruelle, maudit! C'est pour ça que j't'ai protégée tant que j'ai pu quand y t'ont sacrée dehors à coups de pieds!

THÉRÈSE. Commence pas avec ta maudite protection!

PIERRETTE, *en cachant la bouteille.* T'en as de besoin de ma protection, Thérèse, ça fait que viens pas cracher dessus!

THÉRÈSE. J'en ai pas besoin!

PIERRETTE. Certain, que t'en as de besoin!

THÉRÈSE. Pantoute!

PIERRETTE. Si j'arais rien faite pour toé, l'année passée, tu sais oùsque tu serais rendue, aujourd'hui?

THÉRÈSE, *regardant Pierrette dans les yeux*. Oui, j'le sais oùsque j's'rais rendue, pis laisse-moé te dire que j's'rais mauditement mieux qu'à vendre des smoked meats sur la rue Papineau!

PIERRETTE. Attends encore un peu, Thérèse, fais pas la folle... attends... disons... un an, pis j'vas essayer de faire quequ'chose pour toé... Continue à payer c'que tu dois à Maurice...

THÉRÈSE. Chus pas capable d'attendre un an... Pis tu sais très bien que j'fais pas assez d'argent chez Nick pour payer c'que je dois à Maurice! Sais-tu combien j'y dois, à Maurice?

PIERRETTE. Ben oui, j'le sais...

THÉRÈSE. Penses-tu que c'est avec les tips des p'tits trous de cul de la rue Mont-Royal que j'vas pouvoir y remettre ça?

PIERRETTE. J'sais ben...

THÉRÈSE. Y me brûle, icitte, parce que j'y dois trop d'argent pis la seule job qu'y me permet de trouver me permettra jamais d'y remettre c'que j'y dois! Que c'est que tu veux que je fasse?

Pierrette, touchée, ne répond pas tout de suite.

Thérèse vide son deuxième drink.

THÉRÈSE. Un autre... envoye, un autre!

PIERRETTE. J'ai toutes les raisons du monde pour t'haïr, après c'que tu m'as faite, mais chus pas capable... Mais eux autres...

Le téléphone sonne.

Thérèse et Pierrette sursautent, regardent le téléphone, puis se regardent. Pierrette décroche l'appareil.

PIERRETTE. Allô? Ah, c'est toé...

Thérèse regarde encore vers la porte. Elle commence à être soûle.

PIERRETTE. Non, non, tout est correct... Y'a personne... À c'theure là, tu comprends... Ça va commencer à arriver plus tard... Oùsque t'es, là? *(Elle sursaute.)* T'es déjà r'venu? Quand est-ce que tu viens? Ah... okay... Non, j'te dis, tout est correct... Okay, salut. *(Elle raccroche.)* C'est pas ta journée... Maurice est r'venu de voyage... Y s'en vient.

THÉRÈSE. Maurice? Ça va me faire plaisir de le voir!

PIERRETTE. Thérèse, t'as pas envie de rester!

THÉRÈSE. Certainement! Pis j'vas y emprunter un vingt! Comme ça, y va ben voir que chus pauvre... Qu'y me rengage icitte, pis là j'vas pouvoir y payer c'que j'y dois... *(Tout bas.)* Pis y'achalera pus ma mère...

PIERRETTE. Que c'est que tu dis?

THÉRÈSE, *criant presque.* Y'achalera pus ma mère! Tu sais c'qu'y fait? Hein? Tu sais c'qu'y fait, l'écœurant? Une fois par semaine, quand y sait que chus pas là... y'envoye Tooth-Pick ou ben donc un autre de ses rats sonner chez nous... Ma mère... ma pauvre mère qui a jamais rien faite pour mériter ça est obligée de sortir son petit porte-monnaie pis donner un p'tit deux ou un p'tit cinq... Comme si y'en avait de besoin! Y'est riche comme Crésus pis y va sonner à 'porte de ma mère pour qu'a ' y remette l'argent que moé j'y dois! Y fait ça juste pour m'écœurer, Pierrette, penses-tu que je le sais pas? Y menace ma mère pis mon frère parce qu'y sait que ça me tue!

Silence. Pierrette regarde Thérèse comme si elle venait de comprendre une chose très importante.

THÉRÈSE. Y sait que ça me tue!

Pierrette parle doucement, comme à une malade.

PIERRETTE. Y te reprendra jamais, icitte. J'vas essayer de te faire entrer ailleurs, l'année prochaine, quand les choses vont commencer à se calmer, mais pas icitte. *(Un peu plus fort.)* T'as essayé de prendre ma place, l'année passée, Thérèse, pis y t'ont cassé la yeule!

THÉRÈSE. C'est ben pas vrai!

PIERRETTE. Penses-tu que j'le sais pas que t'as essayé de prendre ma place? Hein? T'as toute faite pour que Maurice se méfie de moé, pis quand y s'est rendu compte qu'y'avait rien de vrai dans c'que tu disais... Thérèse, tu m'écoutes pas! T'as une manière de pas écouter quand on a quequ'chose d'important à te dire...

THÉRÈSE. J't'écoute...

PIERRETTE. Tu viens icitte me brailler dans les bras, me parler d'amitié pis t'es la première à tricher!

THÉRÈSE. J'triche pas! J'triche jamais, moé!

PIERRETTE. T'as toujours été la première à tricher! À l'école, tu trichais, Thérèse, tu trichais pour avoir des bonnes notes, pis tu trichais déjà en amitié quand ça faisait ton affaire!

Thérèse se lève et va mettre un disque dans le Juke-Box.

PIERRETTE. Tu fais toute à ta tête pis tant pis pour les autres! T'as toujours été comme ça, pis ça a toujours été à nous autres de nous adapter!

Thérèse se met à danser sur une musique sud américaine des années cinquante.

PIERRETTE. T'as marché sus toutes les filles du plancher pour arriver head waitress, Thérèse, pis t'étais prête à me marcher dessus, moé, ton amie, pour avoir ma job! Au moins avoue-lé! Tu pleures sus ta mère pis t'es la première à la faire brailler; tu pleures sus moé pis tu serais capable de m'achever pour revenir icitte! Quand Maurice m'a engagée y'a trois ans parce que Johnny voulait pus de moé, que c'est que t'as faite pour moé, hein? Rien pantoute! Ça te faisait chier de me voir arriver parce que tu savais que j'étais une meilleure waitress que toé pis t'as pas arrêté de me mettre les bâtons dans les roues pour m'empêcher de grimper! Pis quand tu t'es faite pogner, t'as jamais avoué! Tout le monde avait tort à part toé! Pis que c'est que t'as faite depuis l'année passée pour te racheter, hein! Rien pantoute! Tu te plains, tu cries à l'injustice, mais tu changes pas, *toé*! T'es juste une maudite égoïste pis j'sais pas pourquoi j'te parle, tu m'écoutes même pas!

Le téléphone sonne.

PIERRETTE. Voyons, qui c'est ça, encore... C'est pourtant pas le temps... *(Brusquement.)* Allô? oui, c'est moé...

Thérèse revient s'appuyer au bar.

THÉRÈSE. Pierrette... Pierrette! Si tu savais... C'est icitte, ma place, Pierrette! C'est icitte que chus t'heureuse!

PIERRETTE. À peu près trois cent cinquante... Ben, j'peux pas faire des miracles, c'est lundi!

THÉRÈSE. J'veux pas continuer à vendre des smoked meats, chus pus capable! C'est les clubs, la rue Saint-Laurent, la nuitte qu'y me faut! J'ai toujours vécu la nuitte, Pierrette!

PIERRETTE. Chez-nous? Es-tu fou? J'peux pas emporter ça chez-nous!

THÉRÈSE. J'ai toujours vécu la nuitte, Pierrette! Pis j'aime ça!

La musique se termine.

PIERRETTE. Bon, okay, correct... Mais c'est la dernière fois, par exemple!

Elle raccroche.

Thérèse a quelque difficulté à parler.

THÉRÈSE. J'peux-tu rester toute la nuitte à te regarder faire? J'veux pas rentrer chez nous! Empêche-moé de rentrer chez nous, Pierrette, j's'rais capable de faire des affaires ben laides... Garde-moé icitte, j'vas être tranquille.

PIERRETTE. T'as rien entendu de c'que j't'ai dit t'à l'heure, hein?

THÉRÈSE. Quoi?

PIERRETTE. Laisse faire... *(Elle soupire.)* On te changera pas, hein? Maurice pis Tooth-Pick s'en viennent, là, tu sais qu'y sont dangereux, mais tu restes pareil, t'as dans ta tête de cochon que tu peux leur tenir tête... ça t'excite, hein, c'est ça? Le danger t'excite?

THÉRÈSE. Ben non, ben non... C'est correct, j'vas m'en aller... J'veux pas que t'ayes de troubles à cause de moé...

PIERRETTE. Vraiment... C'qui faut pas entendre...

THÉRÈSE. Aïe, Pierrette, peux-tu me passer un cinq? J'vas aller à 'Casa Istanbul, y viendront quand même pas me chercher chez leurs propres ennemis. *(Elle rit.)*
Pierrette sort un cinq dollars de la caisse et le lui tend.
PIERRETTE. J'vas t'appeler, demain... Passe par en arrière...
THÉRÈSE. J'ai jamais passé par en arrière, j'commencerai pas aujourd'hui! Salut, Pierrette, t'es ben correcte, toé... T'es t'une fille ben, ben, ben correcte...
PIERRETTE. Ben oui, c'est ça, chus t'une fille ben, ben, ben correcte...
Thérèse se dirige vers la sortie.
PIERRETTE. J'te souhaite juste de pas rencontrer Maurice dans l'escalier.
Elle s'allume une cigarette.
PIERRETTE. Cibolaque!

QUATRIÈME PARTIE

Décor : la cour.

MME BÉLANGER, MME L'HEUREUX, MME GINGRAS, MME TREMBLAY, MME MONETTE, MME BEAULIEU, MME DANSEREAU, MME JOANNETTE, MME MÉNARD.

MME BÉLANGER, *en finissant son coke, fait un bruit de pailles.* Prenez ma parole... Thérèse, c'est une fille finie... Tant pis pour elle, a l'a assez couru après...
MME L'HEUREUX. Sa mère, elle, a se cache en arrière de son blind vénitien, pis a l'attend. A l'a attendu toute sa vie, pis a va crever en arrière de son blind...
MME GINGRAS. Avant, c'était son mari qui r'venait, de temps en temps, le vendredi soir, paqueté aux as, au bras d'une autre femme, pour y porter quequ'piasses pour qu'a crève pas de faim avec les enfants...
MME L'HEUREUX. Astheur, c'est Thérèse qui a remplacé son père pis qui arrive en faisant des sparrages, pis en sacrant...

MME TREMBLAY. Pis, là, y font une scène...

MME MONETTE. À chaque fois que Thérèse arrive paquetée, y font une scène... C'est comme... c'est comme une obligation, on dirait...

MME BEAULIEU. Comme un besoin!

LES FEMMES. Y peuvent pas s'en empêcher, y'aiment ça!

MME MONETTE. Quand y commencent une bataille, ça peut durer jusqu'au matin si Thérèse tient encore deboute.

MME DANSEREAU. Quand Thérèse est trop faible, sa mère la nâque tu-suite, pis y vont se coucher!

MME L'HEUREUX. Le lendemain, Thérèse se lève, fine, douce, gentille...

MME GINGRAS. A se rappelle de rien... Sa mère y dit rien... Son mari non plus... Tant qu'à sa fille Joanne... Elle, a dit *jamais* rien! A l'a jamais ben ben parlé. A l'a toujours été ben sauvageonne...

MME MONETTE. Pis le soir, si Thérèse revient saoule, y recommencent!

Les femmes rient.

FEMMES. Y peuvent pas s'en empêcher, y'aiment ça!

MME JOANNETTE. Des fois... Des fois, y'a des hommes qui viennent voir la folle, le samedi matin... Sont trois, d'habitude... Y'en a un qui reste dans le char, pis les deux autres viennent cogner à'porte d'en arrière... Y parlent tout bas..

MME MÉNARD. A l'a l'air d'en avoir ben peur... Une fois, je l'ai entendue élever la voix... Ça faisait quequ'minutes qu'a discutait avec eux autres. Pis tout d'un coup, a l'a crié: «*Faites-moi n'importe quoi, mais touchez-leu'pas! C'est quand même mes enfants.*» Est rentrée dans'maison, pis est r'venue avec un vingt qu'a leur a donné...

Les femmes commencent à rire.

MME L'HEUREUX. Thérèse arrive plus tard, aujourd'hui, Joseph...

MME GINGRAS. Pour moé on va l'avoir, not'show...

Les femmes rient de plus en plus fort.

MUSIQUE.

CINQUIÈME PARTIE

Décor : le salon d'Albertine.

Un salon très pauvre, très miteux. Les meubles sont usés jusqu'à la corde, même la télévision devrait dater de douze ou treize ans.

Albertine et Joanne jouent à la «bataille» sur la petite table du salon. Gérard est affalé dans un fauteuil et regarde des dessins animés à la télévision. Albertine est petite, séchée. Elle est vêtue d'une vieille robe de chambre. Elle est arthritique et a beaucoup de difficulté à bouger, surtout ses mains. Ses gestes sont toujours un peu maladroits.

Joanne a quinze ans. Elle est très jolie, mais son regard trahit une sorte de dureté. Elle ne parle presque jamais mais elle «voit» tout!

Gérard doit être le type parfait du raté, d'un médiocre et du profiteur. Il n'a jamais rien fait, s'est toujours, ou à peu près, fait vivre par Thérèse et maintenant que la vieillesse le menace, il a quarante-cinq ans, il se laisse aller plutôt que de lutter. On sent qu'il a déjà été beau, mais d'une beauté éphémère. Il a peut-être commencé à vieillir à trente ans...

ALBERTINE, JOANNE, GÉRARD.

ALBERTINE. Ta mère arrive pas vite...

JOANNE. À quelle heure qu'a l'a dit qu'a l'arriverait?

ALBERTINE. Est supposée de finir de travailler à cinq heures... A m'a dit qu'a s'en viendrait tu-suite icitte...

GÉRARD. Viens voir les bonhommes, Joanne...

JOANNE. Pensez-vous que...

GÉRARD. Viens voir, Joanne, viens voir les bonhommes...

ALBERTINE. Ça me surprendrait pas... Quand est en retard, d'habitude...

GÉRARD. C'est Popeye! Viens voir Popeye, Joanne!

ALBERTINE. J'le savais qu'a retournerait dans les clubs... Ça fait quequ'temps qu'a y'a pas été...

JOANNE. C'est à vous...

ALBERTINE. Quoi?

JOANNE. Ben c'est à vous, les cartes... J'ai mis un quatre, pis vous un valet...

ALBERTINE. Ah... J'ai pas ben ben la tête aux cartes, aujourd'hui...

GÉRARD. Viens voir Popeye, Joanne! C'est Popeye, Joanne, viens voir!

JOANNE. Ben oui, ben oui, j'ai compris, popa! Arrête de toujours toute répéter de même, sainte!

GÉRARD. Ben, c'est Popeye...

ALBERTINE. Que vous êtes donc fatiquant, Gérard! Vous pouvez pas vous tenir tranquille, un peu?

GÉRARD. Ben, j'voulais que Joanne voye Popeye, c'est toute! A l'aime! Hein, Joanne, d'habitude, tu le regardes, Popeye? T'aimes ça les bonhommes, hein? On regarde le Capitaine Bonhomme ensemble...

JOANNE. Ah, arrête, arrête de parler, tu me tombes sur les nerfs!

GÉRARD, *fait exprès*. Le Capitaine Bonhomme avec ses animaux... Moé aussi je l'aime, Popeye... Y mange des épinards, pis y vient fort, fort...

ALBERTINE. Vous allez toujours ben pas nous conter la vie de Popeye, Gérard!

GÉRARD. Bon, ben, y'est fini, là, le cartoon. T'as manqué Popeye, Joanne. Mais le Capitaine Bonhomme est pas fini... Y va en avoir d'autres... peut-être d'autres Popeye... Ah!... r'garde, Joanne, le vlà, le Capitaine Bonhomme! Bonjour, Capitaine Bonhomme! Bonjour!

ALBERTINE. Moé, depuis qu'y s'est mis à parler à la télévision, là...

GÉRARD. Bon, ben j'vas aller me chercher une bière...

Il semble avoir beaucoup de difficulté à se lever.

GÉRARD. Où c'est que t'as mis ma canne, Joanne? Où c'est qu'a l'est, ma canne?

JOANNE. J'le sais pas moé, j'l'ai pas vue, ta canne! Tu l'avais quand t'es venu t'assire...

GÉRARD. J'la trouve pas...

ALBERTINE. R'gardez comme 'faut, là...

GÉRARD. J'le sais pourquoi j'la trouve pas! Tu me l'as cachée, hein? Tu veux pas que j'me lève! C'est ça, hein, tu veux pas que j'me lève!

ALBERTINE. Ben voyons donc, Gérard! Voir si la p'tite va se mettre à cacher vot'canne! Moé ça me tenterait d'la cacher, des fois, par exemple pour que vous vous leviez pas, le matin...

Joanne s'est levée et a trouvé la canne, sous le fauteuil.

JOANNE. La v'là, ta canne, pis arrête de chiâler!

GÉRARD. Tu l'avais cachée!

ALBERTINE. Gérard, s'il vous plaît! Vous savez très bien qu'a l'avait pas cachée! Vous avez faite exiprès pour la laisser rouler en-dessous du fauteuil... Vous faites toujours exiprès pour vous lamenter, Gérard, c'est fatiquant! Pis vous pensez qu'on s'en aperçoit pas que vous riez de nous autres! Arrêtez donc de vous faire passer pour pire que vous êtes...

GÉRARD. Quoi? Quoi? j'comprends pas...

JOANNE. Ah! quand y commence à faire semblant qu'y comprend pas...

GÉRARD. J'vas aller me chercher d'la bière. *(Avant de sortir du salon, il se tourne vers sa belle-mère et se met à chanter.)* Capitaine Bonhomme, part en ballon, Capitaine Bonhomme part en ballon...

Il sort.

ALBERTINE. C'est ça, c'est ça, pis arrangez-vous pour vous perdre dans'maison! Pour une fois, ça va être vrai qu'on va se forcer pour pas vous trouver!

JOANNE. Y'est pire de jour en jour... Y'était pas comme ça, avant...

ALBERTINE. Y'a jamais été ben ben brillant, ton père...

JOANNE. Non, mais là, c'est affrayant! Y'est pus endurable, c'est ben simple!

ALBERTINE. Y fait exiprès, tu sais ben... Tu le connais... Bon, ben chus tannée de jouer à la bataille... Chus trop narveuse...

JOANNE. Voulez-vous jouer à d'aut'chose?

ALBERTINE. Non, j'ai mal à la tête. C'est pas nouveau! *(Soupirs.)* J'vas aller me faire une tasse de thé... Si ta mère peut arriver, on va rire! Pis si a peut pas avoir faite la folle.

JOANNE. Si est'tait correcte, a s'rait déjà arrivée, grand-maman. J'ai ben peur qu'on va avoir d'la misère t'à 'l'heure...

ALBERTINE. Pis chus si fatiquée! Ah, c'est pas la fatigue, comme... 'sais pas... chus tannée... Chus ben tannée de tout ça... C'est toujours à recommencer... Est deux-trois mois correcte, pis tout d'un coup... tout recommence... C'est les bêtises, les cris... En veux-tu du thé, toé? Ah non, c'est vrai, t'en bois pas toé. J'vas mettre la table, peut-être qu'on va avoir faim. J'vas t'envoyer ton père...

Elle sort.

44

Décor : cour.

À l'extérieur, Thérèse entre dans la cour en titubant. Elle est complètement paquetée. Elle aperçoit les femmes qui la regardent en faisant semblant de rien.

THÉRÈSE

THÉRÈSE. Tiens, la basse-cour est déjà jouquée! Hi, girls! Beau temps pour étendre! *(Elle aperçoit Mme L'Heureux.)* Toujours le nez dans ton châssis, Carmen? *(Elle regarde la fenêtre d'Albertine.)* Une chance que maman a fermé le sien... *(Avant d'entrer, elle se tourne vers les femmes.)* Faites-vous-en pas, vous allez toute entendre pareil!

Elle entre dans la maison.

Décor : salon d'Albertine.

JOANNE, THÉRÈSE, ALBERTINE, GÉRARD

JOANNE. Ah, te v'là... On t'attendait depuis cinq heures...

THÉRÈSE. Si c'est pas ma belle fille Joanne! Allo! *(Elle s'approche de Joanne et essaie de l'embrasser. Joanne la repousse.)*

JOANNE. Ah, maman...

THÉRÈSE. Ben quoi! Tu veux pas embrasser ta mère! Envoye donc! Ça fait longtemps qu'on s'est pas embrassées, tous les deux... Envoye, embrasse-moé, chus ta mère.

JOANNE. Tu sens la boisson à plein nez!

THÉRÈSE. Ben oui! Pis après! J'ai pas le droit d'avoir un peu de fun, non? Oui, chus soule. J'avais le goût de boire, j'avais ben le droit, non? Que c'est que t'as à dire contre ça, toé? Tu veux m'empêcher de boire? Y'a personne qui va m'empêcher de boire. L'écœurant qui va m'empêcher de boire, y'est pas encore né, okay?

ALBERTINE, *de la cuisine.* C'est toé, Thérèse?

THÉRÈSE. Tiens, si c'est pas ma belle moman en or tout craché! Oui, c'est moé! Ta fille Thérèse! T'es-tu contente de me voir? Attends un peu, j'vas aller te rejoindre dans ta belle cuisine... *(Elle se cogne contre la table du salon.)* Sacrement de table de câlice, ôte-moi ça de là, sans ça, m'as t'la casser su'a tête, Joanne!

45

Elle sort. Pendant la conversation qui se tiendra dans la cuisine, pièce que nous ne verrons pas, Gérard entrera dans le salon et s'installera devant la télévision. Joanne ramassera lentement les cartes que Thérèse a jetées par terre.

THÉRÈSE. Allo moman! Comment ça va, depuis à matin? T'es-tu contente de me voir? C'est moé, ta fille Thérèse! Tu me r'connais-tu? T'es t'après te faire du thé? **T-H-É,** thé? C'est pas nouveau! Un peu de thé ça va te faire du bien, hein? *(Elle rit.)* Pis, ton arthrite, comment ça va? Toujours pareil? Pauvre toé... Aie, tu sais c'que tu devrais faire? Du thé, ça vaut rien... Tu devrais prendre un vingt-six onces de gin...

ALBERTINE. Ah! Ferme-toé donc! Garde tes niaiseries de femme saoule pour toé! Ça-tu du bon sens, tu penses, ça-tu du bon sens, r'venir à'maison amanchée de même?

THÉRÈSE. Ben quoi! J'ai eu du fun! J'ai eu du fun, moman! Tu me le reproches? Tu me reproches ça, à moé, ta fille?

ALBERTINE. Attention, là, avec tes grands gestes, tu vas me faire renverser mon eau! J'ai pas envie de m'ébouillanter par-dessus le marché!

Joanne est venue s'asseoir à côté de son père. Ils ne bougent pas.

THÉRÈSE. C'est ça, dis que j'veux t'ébouillanter, astheur! Pis va répéter ça à tout le monde, comme tu le fais tout le temps!

ALBERTINE. Laisse-moé passer là... J'm'en vas dans le salon...

THÉRÈSE. C'est ça, c'est ça, sauve-toé... Mais ça me fait rien... j'vas aller vous rejoindre... Le temps d'aller aux toilettes...

On entend une porte se fermer. Albertine entre dans le salon avec sa tasse de thé, la tasse de thé est importante parce que Albertine se réchauffe les mains avec, en plus de boire dedans.

ALBERTINE. Ça recommence... Ça recommence... Un éternel recommencement... Des années que j'endure ça... Sans dire un mot! Je l'aurai gagné, mon ciel, oui, que je l'aurai donc gagné! Pis a l'a l'air d'être dans une de ses pires journées... Joanne, va falloir que tu m'aides... On va essayer de la raisonner... Et pis non, ça servirait à rien. J'suppose que va falloir toute encaisser sans rien dire! Les bêtises, les reproches, les blasphèmes... les caresses... Quelle soirée en perspective! J'ai quasiment envie de sacrer mon camp...

Joanne, affolée, regarde sa grand-mère.

ALBERTINE. Ben non, ben non, tu sais ben que j'te laisserai pas tu-seule avec elle... A pourrait vous tuer, toé pis ton père... Remarque que ton père... *(Gérard la regarde.)* Tiens, vous avez compris tout de suite, c'te-fois-là? *(On entend une chasse d'eau. Une porte s'ouvre puis se referme.)* Attention à vous autres, v'là l'ouragan!

THÉRÈSE. Tiens, si c'est pas mon mari Gérard. Mon beau chéri! Mon Tarzan! Regardez-moé ça! Pensez pas que c'est pas toute une pièce d'homme. Un vrai athlète! Allo, Gérard! C'est moé! T'es-tu content d'me voir? Aie, aie, Gérard, montre-moé tes muscles! Envoye! Montre-les donc! R'garde, Joanne, tâte-moé ça! Hein? Si on dirait pas le vrai Yvon Robert en parsonne! Tu veux-tu donner un beau bec sucré à ta belle Thérèse, mon amougre? Envoye donc! Rien qu'un p'tit bec! *(Elle s'assoit sur Gérard et l'embrasse.)* Y'est même pus capable d'embrasser comme du monde, l'écœurant! Regardez-moé ça! Y'a assez peur, qu'y'en chie dans ses culottes! Minable! Espèce de pou! Bon rien! Sans dessein! Tu te vois pas! T'as l'air d'une coquerelle! Non, même pas! Une coquerelle, c'est ben que trop vite pour toé!

ALBERTINE. Thérèse...

THÉRÈSE. Regardez-moé ça! C'est mon mari! J'ai marié ça, ça fait quatorze ans! Quatorze ans que j'endure c'te nouille-là pis que j'le fais vivre parce qu'y'a pas de métier!

ALBERTINE. Thérèse...

THÉRÈSE. Regarde-moé pas comme ça, m'as te mettre ma main su'a yeule! Regarde tes bonhommes, là! Regarde-lé ton Capitaine bonhomme, pis parles-y comme tu fais tout le temps! Arriéré mental! Dire que j'ai déjà été en amour avec ça!

ALBERTINE. Thérèse, arrête donc un peu...

THÉRÈSE. Dire que j'ai marié ça, parce qu'y'était beau. Bonyeu que j'étais folle!

ALBERTINE. Thérèse, les voisins vont nous entendre!

THÉRÈSE. Ben certain, qu'y vont nous entendre, les voisins! Y'ont rien que ça à faire, nous écouter! Ça fait vingt ans qui nous espionnent!

ALBERTINE. Ben oui, mais c'est pas nécessaire de hurler comme tu le fais!

THÉRÈSE. Ah! pis toé, farme-toé, toé aussi! Bois ton thé, pis braille dans ton coin! C'est toute c'que t'es capable de faire! C'est toute c'que tu peux faire, astheur qu'y'est trop tard!

ALBERTINE. Thérèse! Parle-moé pas comme ça! Je te le défends! Moé qui as été si bonne pour toi!

Thérèse éclate de rire.

THÉRÈSE. Ah, ben est bonne, celle-là! Ah! ben est bonne, celle-là, par exemple! A l'a été bonne pour moé! Que c'est que t'as faite, pour moé, hein, dis-lé! Dis-lé juste pour voir!

ALBERTINE. J't'avertis que j'en endurerai pas plus, Thérèse!

THÉRÈSE. T'as peur, hein? T'as peur que je parle! Que c'est que t'as faite pour moé, toé? Que c'est que t'as faite pour m'empêcher de marier c'te nouille-là? Rien! Rien pantoute! Moé, j'étais trop jeune, j'me pensais en amour...

ALBERTINE. Ça servait à rien de te parler, tu m'aurais pas écoutée...

THÉRÈSE. Peut-être! Mais peut-être que je t'aurais écoutée, aussi, si t'avais été une mère comme les autres! Mais non, t'étais tellement bête, tellement vulgaire, que j'avais honte de toé! Pis niaiseuse! Ah ça, oui, niaiseuse comme y s'en fait pus! Pis penses-tu que t'étais du monde, dans ce temps-là? T'étais pas endurable! Une vraie bebitte! Toutes mes amies avaient peur de toé! Bête comme tes pieds! C'est de ta faute si on est toutes malheureux, dans' famille! Si tu nous avais élevés comme du monde, j'arais marié quelqu'un qui avait du bon sens, mais non...

ALBERTINE. Penses-tu que c'est pas effrayant venir me dire des affaires de même? Tu penses pas c'que tu dis, Thérèse, arrête!

THÉRÈSE. Comment ça, j'pense pas c'que j'dis! Certain que j'pense c'que j'dis! On n'a pas été élevés, Marcel pis moé, on a été garrochés! Parlons-en, de Marcel! Parlons-en donc, de Marcel! Mon bien-aimé frère qui est à l'asile! Qui c'est qui l'a rendu comme y'est, hein, qui c'est?

ALBERTINE. J'te défends, m'entends-tu, j'te défends de me parler de Marcel comme ça! T'as pas le droit de me juger! Tu le sais que c'est pas de ma faute, Thérèse, si y'est comme ça, aujourd'hui! Farme-toé! Tu dis n'importe quoi pour me faire mal!

THÉRÈSE. Ah! J'te fais peur, hein? T'aimes pas ça qu'on te dise tes quatre vérités, hein? T'as jamais été une mère pour nous autres! Tu t'es jamais occupée de nous autres, pis asteur, tu fais la martyre! Si t'es malade, aujourd'hui, si t'as d'la misère à grouiller, tu l'as mauditement mérité! T'es ben chanceuse que j'te garde icitte pour avoir soin de Joanne!

ALBERTINE, *doucement*. Tu sais pus c'que tu dis, Thérèse! Quand t'es t'à jeun, t'es si fine! T'es si fine! Pourquoi que tu fais ça? Pourquoi que tu te saoules, de même? Écoute-moé, Thérèse, écoute moé : quand t'es saoule, tu penses tout de travers pis le passé se déforme dans ta tête!

THÉRÈSE. C'est pas vrai! C'est pas vrai!

ALBERTINE. Oui, c'est vrai! Tu le sais, que c'est vrai! Tu le sais que j't'avais dit de pas marier Gérard, que c'était un bon-rien, pis que tu l'as marié pareil!

THÉRÈSE. C'est pas vrai!

ALBERTINE. T'étais folle de lui parce qu'y'était beau, pis que toutes les filles couraient après lui, pis que des femmes riches venaient le chercher chez eux sur la rue Dorion, pis qu'y le payaient pour coucher avec! Toé, tu le voulais pour toé tu-seule, pis tu t'es fait faire un p'tit par lui pour l'obliger à te marier!

THÉRÈSE. C'est pas vrai! C'est pas vrai!

ALBERTINE. Oui, c'est vrai! Quand tu bois, tu fais exiprès pour tout conter de travers à tout le monde, pour me mettre ta vie manquée sur le dos!

THÉRÈSE. C'est pas vrai!

ALBERTINE. J'en ai assez, tu m'entends, j'ai mon maudit voyage! Chus tannée de passer pour une maudite folle par ta faute! Si je t'ai pas élevée c'est parce que t'étais pas élevable!

THÉRÈSE. C'est pas vrai!

ALBERTINE. T'étais une maudite tête folle! Quand on te disait deux mots de travers, quand t'étais p'tite, tu tombais dans les confusions! Tu v'nais raide comme une barre pis tu bavais comme un chien enragé! Tu t'en rappelles pas, non?

THÉRÈSE. Non, j'm'en rappelle pas!

ALBERTINE. Tu te rappelles pas les crises de nerfs que tu me faisais à quinze ans parce que tu voulais rentrer après minuit? Tu te rappelles pas que tu contais à tout le monde que t'aimais les nègres parce qu'y avaient des grosses lèvres pis qu'y'embrassaient ben? Te rappelles-tu de tous les coups que tu m'as faite?

THÉRÈSE. Non! C'est pas vrai! J'étais pas une tête folle! Gérard, défends-moé! Dis-y que j'étais pas une tête folle! Que c'est elle qui était une tête folle!

ALBERTINE. Pis tu viens me dire que t'avais honte de moé! C'est de tes amis que t'avais honte, Thérèse! Tu voulais pas que je sache qui c'était, tes amis! C'est moé qui avais honte de toé! J'te cachais, j't'excusais auprès de tout le monde! Je sais pas c'que j'ai pas faite pour te cacher, Thérèse!

THÉRÈSE. Gérard, défends-moé donc! Dis-y donc que j'avais honte d'elle parce qu'est-tait vulgaire!

ALBERTINE. Tu penses que t'étais pas vulgaire, toé! Quand t'arrivais aux p'tites heures du matin pis que tu réveillais tous les voisins en criant, en chantant, en sacrant, c'était pas vulgaire, ça? Pis à part de ça, t'as le front de venir me parler de Marcel? De venir m'accuser de l'avoir rendu comme y'est quand tu sais très bien qu'y'est venu au monde de même, que le docteur m'a dit qu'y'arait jamais une tête plus forte qu'un p'tit garçon de quatre ans! Tu t'en rappelles de quoi y'avait l'air quand y'est venu au monde, Thérèse, tu t'en rappelles? Dis-moé que tu t'en rappelles! Dis-moé-lé, Thérèse, dis-moé-lé!

Elle prend Thérèse par le bras et la secoue.

THÉRÈSE. Non, non, c'est pas vrai! J'm'en rappelle pas!

ALBERTINE. Dis-lé, Thérèse, que t'as tort!

THÉRÈSE. Non, non! Pis lâche-moé, tu me fais mal!

ALBERTINE. Dis-lé que tu t'en rappelles, Thérèse!

THÉRÈSE. Non! Non!

ALBERTINE. Dis-lé! Dis-lé!

THÉRÈSE. Non! Non!

ALBERTINE, *hurle.* Dis-lé que j'ai raison, Thérèse!

THÉRÈSE, *éclate en sanglots.* Oui, oui! T'as raison! J'm'en rappelle! J'm'en rappelle! Mais lâche-moé! J'm'en rappelle, moman! J'ai tort! J'ai tort!

Thérèse est par terre, aux pieds d'Albertine.

ALBERTINE, *après un silence.* Demande-moé pardon, astheur!

THÉRÈSE. Oui, oui, j'te demande pardon, moman! T'as raison, chus t'une écœurante!

ALBERTINE. Ça pas de bon sens c'que tu viens de faire-là, Thérèse...

THÉRÈSE. Oui, c'est vrai! Ça pas de bon sens! J'm'hais, moman, j'm'hais! Chus t'une écœurante, t'as raison! T'as toujours été bonne pour moé! C'est moé qui es mauvaise! Chus méchante! J'fais exiprès pour te faire souffrir! J'mériterais que tu me battes, moman, j'mériterais que tu

51

me battes! J'te demande pardon! Je r'commencerai pus jamais! Jamais, jamais!

ALBERTINE. Bon, c'est correct, viens te coucher, astheur. Ça va te faire du bien.

THÉRÈSE. Oui, oui, ça va me faire du bien, J'te demande pardon.

ALBERTINE. Viens, viens...

THÉRÈSE. Oui, mais avant de me coucher, j'voudrais tirer du poignet avec Gérard! Tu veux-tu, Gérard! Tu veux-tu tirer du poignet avec moé? Envoye donc! Ben quoi, réponds!

ALBERTINE. Laisse-lé, Thérèse... C'est pas le temps de tirer du poignet.

THÉRÈSE. Tu verrais comme j'le battrais, moman! Tu verrais comme j'le battrais!

ALBERTINE. Ben oui, ben oui, tu le battrais...

THÉRÈSE. Tu veux-tu tirer du poignet avec moé, Gérard? Hein? Tu veux-tu tirer du poignet avec moé? Hein? Tu veux-tu?

ALBERTINE. Viens te coucher... viens te coucher... viens te coucher...

Joanne regarde son père avec un profond mépris.

JOANNE. T'as rien dit. T'as rien faite. T'as pas grouillé. T'avais peur... Tu peux te redresser, astheur, est partie! Pis fais attention à ta canne, là, a pourrait encore rouler en-dessous du fauteuil...

Elle se lève et va éteindre la télévision.

MUSIQUE.

SIXIÈME PARTIE

MME BÉLANGER, MME L'HEUREUX, MME GINGRAS,
MME TREMBLAY, MME MÉNARD, MME MONETTE,
MME SOUCY, MME BERNIER, ALBERTINE.

MME BÉLANGER. Bon, ben la scène est finie pour à soir...
J'vas aller me chercher un autre coke. Pis y'a peut-être
quequ'chose de bon a' télévision... Si y recommencent,
j'ressortirai...

MME L'HEUREUX. Quand Marcel est venu au monde pis
que la folle est revenue de l'hôpital, a voulait pas le montrer
à personne! Y'a pas eu moyen d'le voir avant qu'y'aye un
an, j'pense, c't'enfant-là... Des fois, le bruit courait qu'y'é-
tait mort, pis tout d'un coup, je l'entendais brailler de
l'autre côté de la cour...

MME GINGRAS. Moé, des fois, j'la voyais passer dans le
châssis, elle... J'voyais ben qu'a portait quequ'chose dans
ses bras, mais ç'avait pas l'air d'un bébé... C'était trop p'tit...
comme un p'tit animal... Mais j'pouvais pas me faire une
idée au juste parce qu'a fermait vite le blind...

MME L'HEUREUX. Pis un bon jour, au printemps suivant, a l'a décidé de le montrer. Est sortie de la maison comme un ouragan pis a l'a fait le tour du quartier, pour le montrer.

MME TREMBLAY. Y avait un an, pis y'avait l'air d'un bébé naissant.

MME MÉNARD. Un vrai p'tit monstre, avec ses yeux noirs, sans expression, comme des smokes...

MME MONETTE. Ces yeux-là, moé, j'en ai toujours eu peur...

MME L'HEUREUX. Marcel a toujours eu l'air d'en vouloir à tout le monde... En vieillissant, y'est v'nu méchant comme un démon... Personne pouvait l'approcher... Y'était toujours caché dans un coin, ou en-dessous des jupes de sa mère... Quand est venu le temps de l'envoyer à l'école, y'a pas eu moyen. Y voulait pas.

MME BÉLANGER. Pis ça leur a pris vingt ans avant de s'apercevoir qu'y'était fou!

MME SOUCY. Pourtant, tout le monde le savait, dans le quartier qu'y'était fou...

MME MONETTE. Eux autres aussi y devaient le savoir... mais y voulaient pas le voir...

MME L'HEUREUX. Quand Thérèse parlait de lui, a baissait les yeux, pis a parlait tout bas... C'est les seules fois que j'ai vu Thérèse baisser les yeux pis parler tout bas... C'est peut-être la seule parsonne qu'a l'a jamais aimée...

MME BEAULIEU. Un bon jour, y'a mis le feu aux cheveux de sa mère, pis y'a toute cassé dans'maison, ça fait qu'y'ont été obligés de le faire enfermer.

MME L'HEUREUX. Y s'étaient jamais occupés de lui dans'maison, mais aussitôt qu'y'a été parti, la folle qui pesait deux cents livres dans le temps, s'est mis à maigrir, pis Thérèse s'est mis à boire...

MME GINGRAS. Là, y'ont commencé à parler de lui... Y parlaient de lui sans arrêter... rien que de lui... Y se sont mis à le plaindre en braillant des grandes journées de temps...

MME TREMBLAY. Marcel à l'asile, y'avaient un drame, un vrai drame dans leur vie, ça fait qu'y pouvaient toute se permettre à cause de ce drame-là!

MME L'HEUREUX. Aujourd'hui, Marcel a trente-cinq ans. Ça fait quinze ans qu'y'est à l'asile, pis y sortira jamais de là...

MME BERNIER. Moi, quand j'étais p'tite, j'jouais avec, des fois... Mais pas longtemps... J'sais pas pourquoi, y parlait toujours de Québec... Y disait toujours qu'y voulait s'en aller à Québec. Ça fait que des fois, quand y voulait jouer avec nous autres, on y disait : *« Va-t-en à Québec! Va-t-en à Québec, pigeon... »* On l'appelait pigeon, parce qu'y'avait une tête de pigeon...

LES FEMMES. Pi-geon... Pi-geon... Pi-geon...

Albertine est dans sa fenêtre. Elle a ouvert le store.

ALBERTINE. Thérèse dort. A l'a fini par se calmer... Y fait si beau... J'arais aimé ça, m'installer sur la galerie, moé aussi... Mais non, j'ai pas le droit à ça non plus! Faut dire que j'ai jamais eu droit à grand'chose, à'fin du compte... *(Silence.)* Rien! Rien pantoute! J'ai rien eu! *(Silence.)* Rien. Chus venue au monde dans c'te maison-là, j'ai été élevée dans c'te maison-là, j'me suis mariée dans c'te maison-là... J'ai eu mes enfants... J'sais pas si y vont l'enterrer en même temps que moé... J'ai eu des parents ignorants, un mari écœurant... pis des enfants qui sont pas normaux... J'me suis débattue, pourtant! J'ai tellement faite c'que je pouvais! Faut croire que j'pouvais pas grand'chose! J'les ai élevés du mieux que j'ai pu, mes enfants... C'est pas de ma faute, non, c'est pas de ma faute... J'ai enduré leu'père tant que j'ai pu, j'ai enduré Gérard tant que j'ai pu, mais là... Là, chus rendue, que j'peux pus rien endurer. Ben vite... ben vite, ça va être fini, pis j'm'occuperai pus de rien... Soyez bonne pour vos enfants, tuez-vous pour eux autres pis y vous le reprocheront toute leur vie! Pis vous finirez votre vie tu-seule, abandonnée, dans un coin, comme une quêteuse dans votre propre maison. *(Long silence.)* *(Elle sourit.)* Quand

Thérèse pis Marcel étaient petits, j'm'installais, le soir, sur la galerie. Thérèse, elle, a jouait avec Carmen pis Rose; pis Marcel, y restait à côté de moé. Y s'assoyait juste à côté de moé, pis j'y contais des affaires... J'pense qu'y comprenait pas toujours, mais y m'écoutait tout le temps pareil! Pis quand j'm'arrêtais de parler, y me demandait de continuer, pis moé, j'continuais... *(Très long silence.)* C'est mieux que rien...

Les femmes, une à une, disparaissent de leurs fenêtres.

SEPTIÈME PARTIE

Décor : cour, puis salon.
La nuit. Marcel entre très doucement dans la cour vide. Il regarde
partout en souriant. Il se dirige vers la fenêtre de ALBERTINE. Il
essaie de voir dans la maison. Il s'assoit sur les marches de la galerie
en se dandinant comme un petit garçon. Il se relève et entre dans
la maison.

MARCEL, ALBERTINE, JOANNE, THÉRÈSE, CÉRARD.

MARCEL. Y'ont même pas préparé la maison ! Y'ont même
pas sorti les meubles ! Y'ont même pas préparé la maison !
Je le savais ! Y voulaient pas que je vienne ! Y veulent jamais
que je vienne ! Mais chus venu pareil ! J'sais pas si y vont me
reconnaître avec mes lunettes de soleil, par exemple ! *(Il rit.)*
Peut-être qu'y me verront pas ! Aie, y vont arriver, y vont
rentrer, pis y me verront pas ! Ça va être comme si j's'rais
pas là ! Comme quand j'étais p'tit ! Y vont parler, y vont dire
des affaires comme si j's'rais pas là, pis si y s'aperçoivent que
chus là, y vont dire : *« C'est pas grave, y comprend pas, y'est trop*

57

p'tit !» Ou ben donc y vont parler en anglais! Mais j'leu's'ai joué un maudit tour! J'ai mis mes lunettes de soleil, pour être invisible, pis j'ai appris l'anglais!

Albertine paraît dans la porte du salon.

ALBERTINE. Marcel!

Marcel se retourne brusquement.

MARCEL. Elle, a me voit toujours, par exemple! Vous vous êtes pas habillée en blanc? J'vous avais dit de vous habiller en blanc!

ALBERTINE. Marcel, que c'est que tu fais icitte?

MARCEL. Vous vous êtes pas habillée en blanc!

ALBERTINE. Es-tu venu avec le frère? C'est-tu le frère qui t'a emmené icitte?

MARCEL. Vous vous êtes pas habillée en blanc! On dirait que vous faites exiprès... Vous faites toujours le contraire de c'que j'vous demande... Y faut que toute soye blanc, moman! Toute!

Joanne arrive à son tour.

ALBERTINE. Marcel, réponds-moé...

MARCEL. On sait ben, toé non plus tu t'es pas habillée en blanc Joanne! Vous voulez pas m'écouter! Que c'est que vous v'nez faire, icitte? J'vous attendais pas! J'vous l'ai-tu demandé de v'nir me voir? Vous êtes venus m'achaler encore?

Albertine s'approche un peu.

MARCEL. Approchez-vous pas, mon pouvoir va vous tuer raide! Thérèse est-tu avec vous autres? A l'a-tu-mis sa belle robe blanche toute écolletée? Non, elle non plus, j'suppose! Vous faites exiprès pour vous habiller en toutes les couleurs quand vous venez me voir! J'vous ai demandé de vous habiller en blanc quand vous v'nez me voir! J'vous ai demandé de vous habiller en blanc quand vous v'nez icitte, astheur!

ALBERTINE, *en continuant de s'approcher.* Marcel... Marcel... T'es pas à l'hôpital, là... T'es r'venu chez nous... Comment ça se fait que t'es r'venu, Marcel? C'est-tu le frère qui t'a emmené? Réponds-moé, Marcel... Pis ôte ces lunettes-là, sont pas belles...

MARCEL. Quelles lunettes? *(Il touche à ses lunettes. Il regarde autour de lui.)* Vous êtes pas supposée de me voir quand j'ai mes lunettes! Même vous! Pis vous êtes supposée de parler en anglais! Envoyez, parlez en anglais, vous allez voir, j'vas toute comprendre! À l'hôpital, quand j'ai mes lunettes là, j'disparais dans les murs pis y'ont beau parler en anglais, j'comprends toute! Toute! c'est mon pouvoir qui fait ça!

ALBERTINE. Parle moins fort, Thérèse pis Gérard dorment...

MARCEL. Avec mon pouvoir, j'peux faire tu-sortes d'affaires, maman! J'peux faire apparaître des affaires, pis les faire disparaître, après! *(Il change soudain d'expression.)* Mais des fois y restent! Des fois, les affaires, y restent, maman, pis j'ai peur!

Albertine est rendue près de lui. Elle le prend par les épaules.

ALBERTINE. Marcel, r'garde-moé... R'garde-moé comme faut... *(Elle lui enlève doucement les lunettes.)* Y'a les mêmes yeux que la darnière fois... Si tu t'es sauvé, j'te chicanerai pas! J'te le promets! J'te chicanerai pas pantoute...

MARCEL. J'me suis pas sauvé. C'est eux autres qui m'ont envoyé... Y veulent pus de moé! Y veulent même pus de moé, maman! Y m'ont dit que j'y avais faite du mal, mais c'est juste parce que j'voulais me défendre! C'est parce qu'y'a voulu m'empoisonner que je l'ai battu, moman!

ALBERTINE. Joanne, va voir dehors si y'a pas une machine...

MARCEL. Y'en a pas, de machine! Pensez-vous qu'y sont venus me r'conduire? Pas de danger! J'ai été obligé de faire du pouce!

JOANNE. Vous feriez peut-être mieux d'appeler à l'hôpital, grand-moman...

MARCEL. Non non, appelez pas à l'hôpital! Y vont venir me charcher!

ALBERTINE. C'est donc ça, tu t'es sauvé...

MARCEL. Pis vous avez même pas préparé la maison! Moé qui avais pris la peine d'apprendre l'anglais!

JOANNE. Allez appeler, grand-maman, j'vas rester avec lui...

ALBERTINE. Es-tu folle? Y peut sauter su-toé!

JOANNE. Ben non, vous savez ben qu'y me fait jamais rien, à moé... Y'est toujours doux comme un agneau...

ALBERTINE. Fais ben attention... Ça prendra pas de temps... J'vas leur dire d'envoyer une ambulance... Faudrait pas que Thérèse se réveille, par exemple...

Elle sort.

MARCEL. A l'a peur, hein, Joanne? A l'a peur de moé. Y'ont toute peur de moé! J'te dis que quand j'ôte mes lunettes, pis que j'apparais, ça se pousse sur un vrai temps! Tu te pousses pas, toé? T'as pas peur? J'les ai pus, là, mes lunettes... C'est vrai, toé, tu peux pas avoir peur de moé, t'es juste une p'tite fille...

JOANNE. Oui, chus juste une p'tite fille... Veux-tu des paparmannes? T'aimes ça...

Elle prend un plat de «paparmannes» sur la télévision. Pendant ce temps-là, Marcel remet ses lunettes. Il regarde autour de lui, inquiet.

MARCEL. Aie, p'tite fille, as-tu dix cents? As-tu dix cents à me passer? Faut que j'appelle chez nous... Ma mére est malade... C'est vrai! Ma mére est malade! Rien que dix cents... Tu dois ben en avoir...

JOANNE, *en reculant.* Non, j'en ai pas...

MARCEL. Comment ça, t'en as pas! T'en avais, t'à l'heure... J't'ai vue, à'cantine!

JOANNE, *après un moment d'hésitation.* J'ai toute dépensé c'que j'avais...

MARCEL. Ben va voir dans ton cochon...

JOANNE. J'en ai pas de cochon!

MARCEL. Oui, t'en as un... Je l'ai vu! Va chercher dix cents dans ton cochon, ma mére est malade! A s'ra pus malade, dimanche, pis a va venir... Donne-moé dix cents tu-suite! Sans ça tu vas voir...

JOANNE. J'vas aller en chercher... dans ma chambre.

MARCEL. Pis dépêche-toé, parce que sans ça, m'as te mettre le feu dans les cheveux!

Joanne sort.

MARCEL. Pis m'as te mettre ma main su'a'yeule, maudite corneille! Maudite corneille! T'es rien qu'une maudite corneille, frère-mets-ta-main!

Albertine revient.

ALBERTINE, *très doucement.* Parle pas comme ça, Marcel... Parle pas comme ça... J'viens de parler au frère, là, Marcel... Y m'a dit qu'y t'avais donné un beau congé...

MARCEL. Ben, c't'un maudit menteur! Parce que j'me sus poussé! Y voulait pas me passer dix cents pour appeler, ça fait que j'ai sauté dessus! *(Il se met à rire.)* Pis j'me sus poussé! Y pensait que j's'rais pas capable, hein, ben j'ai mis mes lunettes de soleil, pis chus disparu!

VOIX DE THÉRÈSE. Laisse-moé y aller... J'veux le voir!

JOANNE. Vas-y pas, moman, y'a pas l'air correct!

THÉRÈSE. Laisse-moé passer...

Thérèse entre, presque en courant.

MARCEL. Va-t'en toé! Approche pas! C'est toé qui m'a envoyé icitte! Maman, dites-y de s'en aller, à elle! J'veux pas la voir! C'est elle qui m'a vendu! Tu m'as vendu, maudite écœurante... T'es v'nue me r'conduire icitte, pis tu voulais même pas que je porte ma valise...

THÉRÈSE. Écoute-moé, Marcel.

MARCEL. Va-t'en!

ALBERTINE. Va-t'en Thérèse... Tu peux rien faire... Laisse-moé faire... J'vas essayer de le raisonner...

Thérèse sort. Marcel s'approche d'Albertine, très lentement.

MARCEL, *comme s'il tenait un récepteur de téléphone.* Ça fait longtemps que vous êtes pas venue me voir, moman...

ALBERTINE, *ne comprend pas tout de suite.* C'est parce que j'pouvais pas...

MARCEL. Pourquoi vous v'nez pas me voir, moman? Chus tu-seul, icitte! Pis y veulent me tuer! Y veulent m'empoisonner, maman! Y mettent du poison partout! Pourquoi vous venez pas me voir, moman? J'm'ennuie! Chus tu-seul, icitte! Venez donc, dimanche prochain.

ALBERTINE. J'pourrai pas, mon Marcel, chus malade...

MARCEL. Vous êtes malade? C'est-tu Thérèse? C'est-tu elle qui vous rend malade? Dites-moé-lé, pis j'vas aller la battre! C'est-tu elle, moman?

ALBERTINE. Non, Marcel, c'est pas elle. C'est juste parce que chus pas ben...

MARCEL. C'est le frère qui m'a donné dix cents pour que j'vous appelle, moman... Y'est fin, hein?

Albertine se rend compte qu'il s'imagine être au téléphone.

ALBERTINE. Oui... y'est fin...

MARCEL. Oui, y'est fin. Y m'a donné dix cents, pis y m'a dit : «*Va appeler ta mére, Marcel, pis dis-y que tu peux retourner chez vous, astheur...*» Êtes-vous contente que j'vous aye appelée, maman?

Il lui fait signe de lui parler au téléphone, elle aussi. Elle fait semblant de prendre un récepteur.

ALBERTINE. Oui, oui, Marcel, chus ben contente...

MARCEL. Aie, maman, y faut que vous veniez me chercher tu-suite! Ma valise est prête! Y faut que vous veniez tu-suite! Tu-suite! Y veulent me tuer!

ALBERTINE. Ben non, Marcel, ben non. Tranquilise-toé, là...

MARCEL. Oui, y veulent me tuer! Sont toutes arrangés ensemble! M'entendez-vous ben, moman?

ALBERTINE. Oui, j't'entends ben...

MARCEL. J'peux pas parler plus fort! J'me sus caché pour vous appeler! Le frère voulait pas me donner de l'argent, ça fait que j'ai demandé à la p'tite fille d'en bas... Chus tellement content de vous parler, moman...

ALBERTINE. Moi aussi, chus contente de te parler, Marcel... *(Long silence.)* As-tu reçu le chandail que j't'ai envoyé? Y te fais-tu comme faut? Y'est-tu assez chaud? *(Long silence. Sourit.)* Manges-tu comme faut? Manges-tu, comme faut, Marcel?

MARCEL, *de plus en plus bas*. Non, j'mange de moins en moins... Eux autres, y disent que j'engraisse, mais c'est pas vrai! Vous devriez me voir, moman! Vous devriez me voir! Chus malade, pis j'veux rentrer chez nous...

ALBERTINE. Tu peux pas r'venir tu-suite, Marcel, le frère y'a dit d'attendre un peu... T'es pas assez bien, encore... Raccroche la ligne, là... Veux-tu raccrocher la ligne pour moman?

MARCEL. Non, j'veux vous parler encore un peu... Encore un p'tit peu, maman... Juste un p'tit peu... Allez-vous venir, dimanche?

ALBERTINE. Je le sais pas, mon Marcel...

MARCEL. Allez-vous venir, dimanche, moman? Le frère, y'a dit que vous étiez pour venir!

ALBERTINE. C'est correct, j'vas essayer d'y aller, dimanche, Marcel...

MARCEL. Vous le promettez?

ALBERTINE. Oui, oui, j'te le promets, mais raccroche! *(Elle crie très fort, presque au désespoir.)* Raccroche la ligne, Marcel, moman est pus capable de te parler!

Thérèse paraît dans la porte. Elle a revêtu une robe blanche.

THÉRÈSE. Êtes-vous après v'nir folle? C'est pas de même qu'y faut y parler!

MARCEL. Y viendront pas!

THÉRÈSE. Si vous dites comme lui, ça va être pire, après!

ALBERTINE. Ah! toé, mêle-toé de tes affaires! Mêle-toé pas de ça... Après la scène que tu m'as faite avant d'aller te coucher, tu devrais aller te cacher! Tu t'es dépaquetée tout d'un coup, là, j'suppose? T'as toute oublié? Tu vas faire ta fine pis j'pourrai pas rien dire? Ben va-t'en, laisse-moé faire, chus t'habituée, avec lui!

THÉRÈSE. Vous faites la folle avec lui, c'est ça que vous appelez être habituée avec lui?

MARCEL. Ben, si y viennent pas, c'est moi qui va y aller, d'abord!

THÉRÈSE. J'ai mi la robe que j'avais quand j'ai été le voir la darnière fois... Allez mettre votre robe blanche, vous aussi... Joanne est après mettre la sienne...

Albertine regarde Thérèse et Marcel très longtemps, puis elle sort lentement.

ALBERTINE, *dans le corridor.* Oui, j'vas aller la mettre, ma robe blanche...

Thérèse s'approche de Marcel qui s'était réfugié dans un coin.

THÉRÈSE. Allo, mon p'tit frère, comment ça va? Ça fait longtemps qu'on s'est pas vus...

Marcel se retourne brusquement mais lorsqu'il aperçoit la robe de Thérèse il sourit.

MARCEL. C'est vous autres! J'vous attendais pas!

THÉRÈSE. Ben voyons, penses-tu qu'on t'oublie de même?

MARCEL. Ousqu'y sont, les autres?

THÉRÈSE. Y s'en viennent... Y s'en viennent. Ça fait quequ'jours qu'on se prépare à venir te voir... Tu vois, j'me sus t'habillée en blanc...

MARCEL. Oui, chus content... Toute en blanc... T'es belle... Moman aussi, est en blanc?

THÉRÈSE. Oui. Pis Joanne aussi. Pis Gérard, aussi.

MARCEL. Gérard va v'nir? C'est la première fois qu'y vient! Y'a jamais voulu, avant! Chus content!

Thérèse se passe la main sur le front. Elle est au bord des larmes.

MARCEL. Veux-tu... On va s'asseoir... On va jaser, un peu... *(Ils s'assoient. Silence gêné.)*

Marcel se lève et va chercher le plat de bonbons sur la télévision. Il en offre à Thérèse. Elle en prend un. Quand il voit que Thérèse a mis le bonbon dans sa bouche et qu'il n'est pas empoisonné, il en prend une poignée et les met tous dans sa bouche.

THÉRÈSE. Comment ça va, mon p'tit frère?

MARCEL, *en mâchant.* Ça va ben. Ça jamais été mal... Tu le sais ben! Aie, Thérèse, sont assez fous, si tu savais! Si tu savais ce qu'y me font! *(Il regarde autour de lui.)* Chus sûr qu'y me guettent.

THÉRÈSE. Qui, ça?

MARCEL. Le maudit frère-mets-ta-main! Y me guette tout le temps! Y me lâche pas! Y veut pas que je vous appelle! J'pense qu'y veut que j'reste icitte tout le temps! Y me donne des affaires pour boire, Thérèse! Y veut m'empoisonner!

THÉRÈSE. Ben non, voyons, tu sais ben qu'y' a personne qui veut t'empoisonner...

MARCEL. Oui, j'le sais, qu'y veut m'empoisonner! J'sais toute c'qui se passe, icitte! Mais un bon jour, c'est moé qui va toutes les avoir avec mon pouvoir! J'vas toutes les avoir! Toute la gang! Tu vas voir ça, Thérèse, comme ça va faire une belle explosion! *(Il reprend des bonbons.)* Comment ça se fait qu'y arrivent pas, les autres, donc?

THÉRÈSE. Ça s'ra pas ben long... Tu comprends, depuis que Gérard boite...

MARCEL. Gérard boite?

THÉRÈSE, *pour elle-même.* Oui, ça, pour boiter, y boite!

MARCEL. Comme ça, y se promène pus déguisé en homme sandwich?

THÉRÈSE. Hein?

MARCEL. Ben oui, quand j'ai été chez vous, la dernière fois, y se promenait dans'rue, habillé en homme sandwich...

THÉRÈSE. Ah! mon Dieu, ça fait longtemps, de ça... euh... non, y se promène pus habillé en homme sandwich... t'sais, y'a pas faite ça ben longtemps...

MARCEL. C'est de valeur... Y'était drôle... J'disais ça à tout le monde, icitte, que mon beau-frère se promenait habillé en sandwich... Tout le monde trouvait ça ben drôle... Le frère, lui, y disait que j'disais ça rien que parce que j'pense rien qu'à manger, mais c'est pas vrai! J'mange pus pantoute, Thérèse! Pis ben vite... J'vas v'nir p'tit, p'tit, p'tit... Pis j'vas disparaître... J'aurai pus besoin de mes lunettes... Pis j'vas toutes les tuer! Pis j'vas retourner chez nous, m'asseoir sur la galerie d'en arrière. *(Silence.)* Es-tu venue me charcher, Thérèse? Thérèse, es-tu venue me charcher? Tu dis toujours dans tes lettres que tu vas v'nir me charcher... Si tu t'es habillée en blanc, c'est parce que t'es venue me charcher...

Thérèse prend Marcel dans ses bras.

THÉRÈSE. Oui, Marcel, chus venue te charcher.

Silence.

THÉRÈSE. Marcel... Marcel... sais-tu ousque t'es?

MARCEL. Ben, à l'hôpital, c't'affaire! Chus malade. Dans'tête... Le frère, y dit que c'est une tête qui est pas ben ben bonne...

THÉRÈSE. J'vas te ramener chez nous, Marcel, pis tu vas voir, la tête va te revenir... Tu vas te reposer, pis après... On va te charcher de l'ouvrage pas fatiquante...

MARCEL. Travailles-tu toujours sur la Main?

THÉRÈSE. Depuis quequ'mois, j'travaille dans un p'tit restaurant d'la rue Papineau, mais c'est juste en attendant. Maurice va me reprendre dans son club... Si tu veux, tu viendras travailler avec moé...

MARCEL. Non, jamais!

VOIX DE GÉRARD. J'vous dis que j'veux pas y aller!

VOIX DE JOANNE. Y faut, papa!

VOIX DE GÉRARD. J'ai l'air d'un maudit fou, habillé de même!

MARCEL. J'veux pas retourner là, au club! C'est eux autres, avec Tooth-Pick, qui ont commencé à mettre des affaires dans mes verres, Thérèse... Y mettaient d'la poudre dans ma boisson, tu t'en rappelles? Pis y trouvaient ça ben drôle, parce que çe me faisait voir des affaires...

THÉRÈSE. Y se rappelle de ça... Ben non, ben non, Marcel, tu sais ben que c'est pas eux autres... Pense pus à ça... Tu sais ben qu'y'ont jamais faite ça...

MARCEL, *se lève brusquement.* Oui, j'm'en rappelle! J'm'en rappelle c'que ça me faisait, Thérèse!

Il aperçoit Gérard et Joanne, habillés en blanc. Il reste figé quelques secondes.

MARCEL. Ah ben! Ah ben!

Il s'approche de Gérard qui a visiblement très peur...

MARCEL. Gérard... Ça fait longtemps... Tu marches avec une canne, astheur? T'es malade, toé-si?

GÉRARD. Oui.

JOANNE. Tiens, ton dix cents, mon oncle...

MARCEL. Que c'est que tu veux que je fasse avec ça? Quand je veux téléphoner, le frère m'en donne! Pis moman, ousqu'à l'est?

GÉRARD. A s'en vient...

MARCEL. Ben, en attendant, v'nez vous assire...

Tout le monde s'assoit. Silence gêné. Marcel passe les paparmannes.

MARCEL. Sont bonnes...

Il revient s'asseoir.

THÉRÈSE. Joanne, a l'a commencé à une autre école...

Thérèse lui fait signe de dire quelque chose.

JOANNE. Oui... J'vas faire une coiffeuse...

MARCEL. Une coiffeuse? Pour coiffer le monde? *(Il se met à rire.)* T'es ben que trop jeune...

JOANNE. Ben non... J'ai quasiment seize ans...

Albertine paraît, elle aussi vêtue de blanc. Marcel ne la voit pas. Elle s'assoit à l'écart.

MARCEL. Aie, tu m'en f'ras pas accroire... Seize ans... T'es rien qu'une p'tite fille! T'as pas seize ans... Hein, Gérard, a l'a pas seize ans?

Gérard ne répond pas. Il prend un journal et se plonge dedans.

JOANNE. Ben oui, mon oncle, j'ai quinze ans, j'vas avoir seize ans dans deux mois... chus presqu'une femme! C'est parce que ça fait longtemps que tu m'as pas vue...

MARCEL. Es-tu folle rien qu'un peu! Hein, Thérèse, a l'a juste dix ans, Joanne?

THÉRÈSE. Oui... a l'a juste dix ans...

Gérard fait un geste pour allumer la télévision.

THÉRÈSE. Gérard!

GÉRARD. Ben quoi! Tu veux que j'y parle? Que c'est que tu veux que j'y dise! Que c'est que tu veux que j'y dise! C't'un fou!

MARCEL. Un fou! Qui, ça, qui est un fou! Moé? Toé aussi tu penses que chus t'un fou? Mon écœurant, m'as te tuer! Pis tu s'ras pas le premier, non plus! Tu veux m'empoisonner, pis tu veux me faire passer pour un fou, Tooth-Pick?

ALBERTINE. Marcel!

Marcel se tourne brusquement vers sa mère.

MARCEL. Maman! Vous êtes en blanc!

Il se jette aux pieds de sa mère et pose sa tête sur ses genoux.

MARCEL. Vous êtes venue, me charcher, maman! Toute en blanc! Vous avez l'air d'une sainte Vierge...

ALBERTINE. Une sainte Vierge...

GÉRARD, *à Thérèse.* Va appeler la police, fais quequ'chose, y va toutes nous assommer!

JOANNE. Ferme donc ta yeule! T'es t'aussi fou que lui!

ALBERTINE, *passe sa main dans les cheveux de Marcel.* Ça fait longtemps qu'on n'est pas venus te voir, mais c'est pas parce qu'on voulait pas...

Elle regarde Thérèse, suppliante.

THÉRÈSE. Non, c'est pas parce qu'on voulait pas... C'est parce que moman est pas ben... C'est pour ça...

Silence.

ALBERTINE. Tes-tu faite des amis, depuis la darnière fois? Parles-tu aux autres, un peu? Conte à maman c'que tu fais toute la journée...

MARCEL. C'est les cloches qui me réveillent, le matin. J'te dis que ça sonne sur un vrai temps! Y sonnent les cloches, fort, fort... longtemps, longtemps... J'ai beau leu' crier d'arrêter, que j'les ai entendues, y continusent pareil! Là, j'me lève ben vite, j'mets mes lunettes de soleil, pis j'm'en vas tu-suite dans le châssis... Pis toute la journée, dans le parc, moman, les sauvages puis les cow-boys se tirent des flèches! Toute la journée, moman! Y'en a partout! Une chance, y peuvent pas me voir, j'ai mes lunettes! Pis quand le frère

68

vient me chercher pour manger, j'dis non. Pis j'me sauve en courant! Des fois, j'ai assez peur du poéson qu'y mettent dans mon manger, moman, que j'me sauve de l'hôpital, pis je cours au milieu d'la bataille! Pis rendu au milieu d'la bataille, j'ôte mes lunettes de soleil! Là, les sauvages pis les cow-boys peuvent me voir... J'aimerais mieux recevoir une flèche, moman! Vous dites rien?

ALBERTINE. J't'écoute, Marcel, j't'écoute... Mais y faudrait que tu comprennes qu'y'a parsonne qui veut t'empoisonner...

MARCEL. Oui, y veulent! Oui, y veulent! J'le sais! Pis chus pus capable de rien faire! Moman, chus pus capable de rien faire, y vont m'avoir si ça continue!

ALBERTINE. Moi non plus chus pus capable de rien faire, Marcel... Si tu continues à parler de même, j'vas faire venir le frére... Je l'ai rencontré, t'à l'heure, j'y ai parlé, pis y'avait pas l'air de bonne humeur...

Marcel inquiet, se relève et revient s'asseoir près de Thérèse.

MARCEL. Ça fait-tu ben mal, tes jambes, Gérard?

GÉRARD. Oui, ça fait ben mal.

MARCEL. Ah... *(En souriant.)* Comme ça, chus pas tu-seul de malade... Vous restez ben longtemps?

Les autres se regardent.

JOANNE. Ben, tu voulais pas qu'on vienne?

MARCEL. Non. *(Il remet ses lunettes.)* C'est moé qui voulais aller vous voir...

ALBERTINE. Marcel... Marcel, écoute-moé, un peu... J'ai appelé un taxi... Y va arriver d'une minute à l'autre... On était venus te chercher, mon Marcel...

MARCEL. C'est vrai? Le frére me laisse partir?

ALBERTINE. Oui.

MARCEL. Pis ma valise?

ALBERTINE. T'en as pas besoin. *(Elle se passe la main sur le front.)* On va... on va toute t'acheter du linge neuf...

MARCEL. Blanc?

ALBERTINE. Oui, blanc.

Albertine se lève et va faire un signe à la fenêtre.

MARCEL, *à Joanne*. On s'en va chez nous, Joanne! On s'en va à'maison! J'ai assez hâte! J't'assez content! J'ai assez hâte!

On sonne à la porte.

MARCEL. C'est lui! C'est le taxi!

ALBERTINE. Oui. Viens-t'en, Marcel... Viens, Thérèse, j'vas avoir besoin de toé...

MARCEL. Aie, j'm'en vas chez nous! Avez-vous toute vidé la maison? Avez-vous toute peinturé la maison en blanc? J'veux pas voir les vieux meubles, vous savez...

ALBERTINE. Oui, on a toute faite ça...

MARCEL. C'est toute, toute vide?

THÉRÈSE. Oui...

JOANNE. Viens, papa...

GÉRARD. Non.

Il reste assis. Thérèse, Joanne et Albertine entourent Marcel. On sonne de nouveau. Albertine prend la tête de Marcel dans ses mains. Elle le regarde dans les yeux.

ALBERTINE. J'te demande pardon, Marcel! Pour toute!

Les personnages restent immobiles quelques secondes. Puis, lentement, Gérard baisse son journal.

GÉRARD. Chus pus capable de rien faire! J'ai même pas le droit de sortir d'la maison... Chus poigné icitte avec ma canne... La maudite canne... Y m'empêchent de sortir d'la maison parce qu'y'ont honte de moi... Ben moi aussi j'ai honte d'eux autres! Moé, c'est correct, j'ai jamais été ben ben bright, mais j'le sais... mais eux autres... Thérèse est intelligente, a l'a toujours été la première à l'école, pis toute... N'empêche que c't'une moyenne folle pareil! *(Il rit.)* Quand on pense qu'a l'a couru deux ans après moé pour que j'la marie... Faut être folle quequ'chose de rare! Y a rien que Marcel à'fin du compte... Marcel, lui, au moins, y'est fou pour de vrai! Y'ont pas eu besoin de le rendre fou, celui-là! Lui, y'est fou, pis y'est ben!

GÉRARD et THÉRÈSE. Chus pus capable de rien faire...

70

À partir de ce moment-là on entendra toutes les voisines murmurer
«chus pus capable de rien faire» jusqu'à la fin.

THÉRÈSE. Aie, chus rendue basse rare! Quand une waitress de club rebondit dans un «smoked meat» d'la rue Papineau, a peut pas descendre ben ben plus bas... Ah oui, a peut descendre plus bas... Chus déjà rendue encore plus bas! C'que j'ai faite hier, c'est le vrai fond du crachoir! J'me sus paquetée, hier, parce que j'pensais de me faire arrêter... Comme la darniére fois! Y'm'ont rien faite, hier... Le juge m'avait pourtant dit qu'y me rentreraient en dedans la prochaine fois... Pis j'voulais aller en prison, hier... J'aimais mieux aller en prison que de revenir icitte! Chus pus capable d'les voir! Des fois, j'aurais envie de tuer Gérard, de l'écraser comme une punaise, rien que pour me faire arrêter... Mais j'le fais pas parce que j'veux pas finir au bout d'une corde... Finir en prison, j'm'en sacre! On est logé, nourri pis on finit par se faire des chums... Mais pas au bout d'une corde... *(Elle regarde Gérard.)* Y'en vaut pas la peine... Mais un beau jour, j'vas finir par le faire, j'le sais que j'vas finir par le faire... Eh pis non...

THÉRÈSE, GÉRARD et JOANNE. Chus pus capable de rien faire...

JOANNE. J's'rai même pas capable de faire une coiffeuse! Chus trop narveuse! J'étais trop narveuse pour continuer l'école, ça fait qu'y m'ont dit d'apprendre un métier... Mais chus pas capable de rien faire! Ça sert à rien! Chus pas capable de faire une coiffeuse! J'peux pas me sarvir de mes deux mains, j'pense toujours à d'autres choses quand j'travaille! Chus pas capable de fixer mon attention sur c'que je fais! Y'a quequ'chose dans ma tête qui décroche tout le temps... Si au moins j'étais intelligente comme moman, j'essayerais de m'en sortir... Mais non, y fallait que j'aie la tête de mon père...

GÉRARD, THÉRÈSE, JOANNE et ALBERTINE. Chus pus capable de rien faire...

ALBERTINE. Soyez bonne pour vos enfants, tuez-vous pour eux autres, pis y vous le reprocheront toute leur vie! Pis vous finirez vot'vie tu-seule, abandonnée, dans un coin, comme une quêteuse dans votre propre maison...

TOUS, *très fort*. Chus pus capable de rien faire!

MARCEL. Moé, j'peux toute faire! J'ai toutes les pouvoirs! Parce que j'ai mes lunettes! Chus tu-seul... à avoir les lunettes!

DU MÊME AUTEUR

ROMANS, RÉCITS ET CONTES

Contes pour buveurs attardés, Éditions du Jour, 1966; BQ, 1996
La cité dans l'œuf, Éditions du Jour, 1969; BQ, 1997
C't'à ton tour, Laura Cadieux, Éditions du Jour, 1973; BQ, 1997
Le cœur découvert, Leméac, 1986; Babel, 1995
Les vues animées, Leméac, 1990; Babel, 1999
Douze coups de théâtre, Leméac, 1992; Babel, 1997
Le cœur éclaté, Leméac, 1993; Babel, 1995
Un ange cornu avec des ailes de tôle, Leméac/Actes Sud, 1994; Babel, 1996
La nuit des princes charmants, Leméac/Actes Sud, 1995; Babel, 2000
Quarante-quatre minutes, quarante-quatre secondes, Leméac/Actes Sud, 1997
Hotel Bristol, New York, N.Y., Leméac/Actes Sud, 1999
L'homme qui entendait siffler une bouilloire, Leméac/Actes Sud, 2001
Bonbons assortis, Leméac/Actes Sud, 2002
Le cahier noir, Leméac/Actes Sud, 2003
Le cahier rouge, Leméac/Actes Sud, 2004
Le cahier bleu, Leméac/Actes Sud, 2005
Le gay savoir, Leméac/Actes Sud, coll. « Thesaurus », 2005
Le trou dans le mur, Leméac/Actes Sud, 2006

CHRONIQUES DU PLATEAU-MONT-ROYAL

La grosse femme d'à côté est enceinte, Leméac, 1978; Babel, 1995
Thérèse et Pierrette à l'école des Saints-Anges, Leméac, 1980; Grasset, 1983; Babel, 1995
La duchesse et le roturier, Leméac, 1982; Grasset, 1984; BQ, 1992
Des nouvelles d'Édouard, Leméac, 1984; Babel, 1997
Le premier quartier de la lune, Leméac, 1989; Babel, 1999
Un objet de beauté, Leméac/Actes Sud, 1997
Chroniques du Plateau-Mont-Royal, Leméac/Actes Sud, coll. « Thesaurus », 2000

THÉÂTRE

Trois petits tours, Leméac, 1971
À toi, pour toujours, ta Marie-Lou, Leméac, 1971; Leméac/Actes Sud Papiers, 2007
Les Belles-Sœurs, Leméac, 1972; Leméac/Actes Sud Papiers, 2007
Demain matin, Montréal m'attend, Leméac, 1972; 1995
Hosanna suivi de *La Duchesse de Langeais*, Leméac, 1973; 1984
Bonjour, là, bonjour, Leméac, 1974
Les héros de mon enfance, Leméac, 1976

Sainte Carmen de la Main, Leméac, 1976

Damnée Manon, sacrée Sandra suivi de *Surprise! Surprise!*, Leméac, 1977

L'impromptu d'Outremont, Leméac, 1980

Les anciennes odeurs, Leméac, 1981

Albertine, en cinq temps, Leméac, 1984; Leméac/Actes Sud Papiers, 2007

Le vrai monde ?, Leméac, 1987

Nelligan, Leméac, 1990

La maison suspendue, Leméac, 1990

Le train, Leméac, 1990

Théâtre I, Leméac/Actes Sud-Papiers, 1991

Marcel poursuivi par les chiens, Leméac, 1992

En circuit fermé, Leméac, 1994

Messe solennelle pour une pleine lune d'été, Leméac, 1996

Encore une fois, si vous permettez, Leméac, 1998

L'état des lieux, Leméac, 2002

Le passé antérieur, Leméac, 2003

Le cœur découvert – scénario, Leméac, 2003

L'impératif présent, Leméac, 2003

Bonbons assortis au théâtre, Leméac, 2006

Théâtre II, Leméac/Actes Sud-Papiers, 2006

OUVRAGE RÉALISÉ PAR
LUC JACQUES, TYPOGRAPHE
ACHEVÉ D'IMPRIMER
EN JANVIER 2013
SUR LES PRESSES
DE MARQUIS IMPRIMEUR
POUR LE COMPTE DE
LEMÉAC ÉDITEUR, MONTRÉAL

DÉPÔT LÉGAL
1re ÉDITION : MAI 1972
(ÉD. 01 / IMP. 11)